GRAMMATIK DIREKT

PAUL ROGERS

Illustrated by Jacques Sandron

Thomas Nelson and Sons Ltd
Nelson House
Mayfield Road
Walton-on-Thames
Surrey
KT12 5PL
United Kingdom

First published by Thomas Nelson and Sons Ltd 1999

ISBN 0-17-4401-825

9 8 7 6 5 4 3 2 1
03 02 01 00 99

Printed in Spain by Grafo

Commissioning and development – Clive Bell
Editorial – Diane Collett
Marketing – Michael Vawdrey
Production – Gina Mance
Cover design – Eleanor Fisher
Produced by – Pardoe Blacker Ltd

Illustration:
Cartoons by Jacques Sandron

Other illustrations by:
David Horwood
Matt Shelley
Sarah Sole

Acknowledgements:
Margit Schommer
Marion Dill

AQA (NEAB) Consultant on this title: Sue Smart, Chief Examiner for German

Introduction

Why is grammar important?

Every language, including English, has grammar rules. For example, we say: 'The dog has eaten my dinner', not 'The dog have eaten my dinner'. Think of grammar as a short cut – instead of learning hundreds of separate examples of language, a grammar rule shows you what they all have in common. This saves you time and helps you to manipulate new words and create new sentences. Although what you say and write in German does not need to be one hundred per cent grammatically correct for you to be understood, the more accurate your grammar, the easier it will be for you to get your message across. Likewise, you will earn more marks in your GCSE exam by being as grammatically correct as possible.

This book is designed to help you with the German grammar which you will need for your exam. Some of the grammar covered here is important for Foundation Tier and some for Higher Tier. Your teacher will guide you about which parts of the book to concentrate on.

How does this book work?

- The first part of the book (pages 4-30) covers mainly grammar which is to do with words affected by the German case system, i.e. nouns, pronouns, adjectives and prepositions. The second part of the book (pages 31-73) covers verbs, tenses and word order. Each grammar point is introduced through a cartoon, then there is an explanation of the grammar rule in question. This is followed by some practice exercises and often by a task called *Prüfungstraining*. These tasks give you a chance to use the grammar point you have been learning in an exam-style activity, similar to the tasks you will encounter in your GCSE exam.

- There is a verb list on pages 74 and 75, which includes the most important irregular verbs in the main tenses.

- If you want to find out the meaning of any key words in the cartoons or exercises, you can look them up in the wordlist on pages 76-79. We can't guarantee that every word you need is there, but it is worth checking before you use a dictionary.

- Finally, if you need to check the meaning of any grammatical terms such as 'tense', you can look them up in the glossary on page 80.

Viel Glück bei der Prüfung!

Contents

What you need to know

1 Gender of nouns

Nouns are either singular or plural (e.g. 'book' or 'books'). In German, all nouns are also either masculine, feminine or neuter. The definite article (the word for 'the') is different depending upon both the gender (masculine, feminine or neuter) and the number (singular or plural) of the noun:

	Masculine	Feminine	Neuter	Plural
Nominative	der	die	das	die

The definite article can also change according to which case it is in (see below).

2 Subject (nominative case)

When a noun is the subject of a verb, it is said to be in the **nominative** case. When a noun is the subject* of the verb, the word for 'the' is *der, die* or *das* for singular nouns and *die f*or plural (as shown above).

e.g. *Wo ist **der** Stadtplan?*

3 Object (accusative case)

But when a noun is the object* of a verb, the word for 'the' changes for masculine singular nouns:

*Ich sehe **den** Stadtplan nicht.*

Fortunately there is no change for feminine, neuter or any plural nouns.

When a noun is the object of a verb, whether its spelling has changed or not, it is said to be in the **accusative** case.

	Masculine	Feminine	Neuter	Plural
Accusative	den	die	das	die

Look through the cartoon again and make sure you understand why each definite article (each word for 'the') takes the form that it does.

(* For further explanation of the words 'subject' and 'object', see page 80 – Glossary of grammatical terms).

The nominative and accusative cases (definite article)

Thinking it through

How to say 'the' when the noun is the subject or object of a verb:

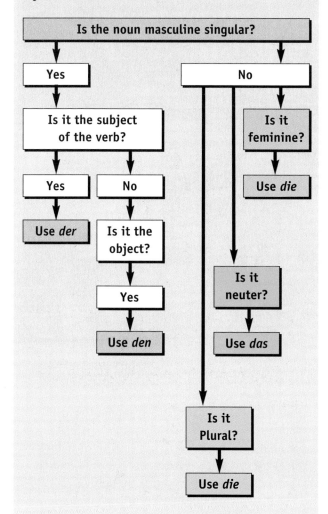

ÜBUNG A

‚Der‘, ‚den‘, ‚die‘ oder ‚das‘? Ein paar Freunde machen ein Picknick. Füll die Lücken aus.

Bruno: Kommt, Leute! Das Picknick ist fertig.
Renate: Aber wo ist **(1)** d<u>as</u> Brot? Ich sehe **(2)** d___ Brot nicht.
Oliver: Und wo ist **(3)** d___ Käse?
Bruno: Lars hat **(4)** d___ Käse, oder?
Renate: Nein. Lars bringt **(5)** d___ Kuchen und **(6)** d___ Getränke.
Oliver: Jedenfalls ist **(7)** d___ Typ nicht da!
Bruno: **(8)** D___ Schokolade ist aber da! Und ich habe auch **(9)** d___ Obst! Wir können **(10)** d___ Picknick beginnen, oder?

ÜBUNG B

Vervollständige die Sätze.

Beispiel

1 D<u>as</u> Schwimmbad ist in Zündlingen. D<u>er</u> Bus fährt direkt hin.
2 Das Schloss ist in Obermeinar. D___ S-Bahn fährt direkt hin.
3 D___ Flughafen ist in Spree. D___ Zug fährt direkt hin.
4 D___ Jahrmarkt ist in Kletzen. Am besten nehmen Sie ___ Bus.
5 D___ Sportplatz ist in Krondorf. Am besten nehmen Sie ___ Straßenbahn.
6 D___ Kino ist in Rodschau. Am besten nehmen Sie ___ Zug.
7 D___ Skischule ist in Blendhorn. Am besten nehmen Sie ___ S-Bahn.

ÜBUNG C

Du bist im Ferienhaus einer Freundin, aber du findest nicht alles, was da sein soll. Schick ihr eine E-Mail!

Beispiel

Hallo, Annette! Wir sind jetzt im Haus! Vielen Dank für die Notiz.
Die Handtücher, ..., ..., ... und ... sind da, aber wir finden das Radio..., ..., ... und ... nicht. Ich kann ... auch nicht sehen. Hilfe!

PRÜFUNGSTRAINING

Hier sind ein paar Ideen:

 Landkarte   Kleiderschrank   Kopfkissen
Abfalleimer   Taschenlampe   Katze
Wasserhahn   Dosenöffner   Bettdecken

Plurals

What you need to know

In English most nouns form their plural by adding an '-s'. In German, nouns form their plural in a number of different ways. You should always try to learn the plural of a noun at the same time as you learn the word itself and its gender. It is normally shown in dictionaries and wordlists in one of the following ways:

Hund, der, -e
der Hund(e) } (in other words, the plural is *Hunde*)

Here are some general guidelines that should help, but be careful – there are plenty of exceptions!

1 A lot of masculine nouns take an '-e':

der Hund	→	*die Hunde*
der Tag	→	*die Tage*

2 A lot of feminine nouns take '-n' or '-en':

die Straße	→	*die Straßen*
die Wohnung	→	*die Wohnungen*

Feminine nouns ending in '-in' double the 'n' in addition to ending in '-en':

die Freundin	→	*die Freundinnen*
die Schülerin	→	*die Schülerinnen*

3 A lot of neuter nouns take '-e' or '¨-er':

das Tier	→	*die Tiere*
das Haus	→	*die Häuser*

4 Most foreign words used in German are neuter and add '-s' in the plural:

das Hotel	→	*die Hotels*
das Baby	→	*die Babys*

5 Masculine and neuter nouns ending in '-er', '-el' or '-en' usually stay the same:

das Zimmer	→	*die Zimmer*
der Schlüssel	→	*die Schlüssel*
der Kuchen	→	*die Kuchen*

ÜBUNG A

Finde die Paare. Es gibt zwei Plurale von jeder Sorte – verwende ein Wörterbuch!

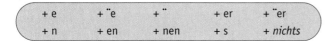

+ e	+ ¨e	+ ¨	+ er	+ ¨er
+ n	+ en	+ nen	+ s	+ nichts

Beispiel   Sendungen – Mannschaften

ÜBUNG B

Füll die Lücken aus.

Lars: Hast du eine Schwester?

Dieter: Ich habe zwei Schwestern.

Lars: Und hast du einen Bruder?

Dieter: Ich habe drei **(1)** <u>Brüder</u>.

Lars: Hast du ein Haustier?

Dieter: Wir haben viele **(2)** ___! Wir haben drei
(3) Katz___ und zehn **(4)** Fisch___.

Lars: Ich habe ein Meerschweinchen.

Dieter: Ja, wir haben auch ein paar **(5)** ___.

Lars: Und was für einen Wagen habt ihr?

Dieter: Wir haben zwei **(6)** ___!

Lars: Ich weiß aber, was du nicht hast. Du hast
bestimmt nicht viele **(7)** Freund___ und
(8) Freundin___!

ÜBUNG C

Lutz findet alles langweilig. Wie beantwortet er seine Mutter?

Beispiel **Mutter:** Sieh dir ein Video an.

  Lutz: Ach nein, Videos sind langweilig.

> Lies ein Buch.
> Mach einen Spaziergang.
> Hör dir eine Kassette an.
> Lies einen Comic.
> Schreib einen Brief.
> Geh ins Museum.
> Mach eine Radtour.
> Organisiere einen Ausflug.
> Mach einen Salat.
> Spiel ein Brettspiel.

ÜBUNG D

Wie antwortet die Verkäuferin im Warenhaus?

Beispiel   **1**   CDs sind im dritten Stock.

1 Ich suche eine CD von Queen.

2 Ich suche einen Fußball.

3 Ich suche ein Computerspiel für einen zehnjährigen Jungen.

4 Ich suche ein Geschenk für eine ältere Dame.

5 Ich suche eine Jacke.

6 Ich will mir ein Butterbrot kaufen.

7 Ich suche einen Tennisschläger.

8 Ich brauche einen Film für meinen Fotoapparat.

9 Ich suche ein Spielzeug für ein Baby.

10 Ich suche ein Buch über Afrika.

3. STOCK	1. STOCK
Buchabteilung	Mode
Musik	Sport
2. STOCK	ERDGESCHOSS
Geschenkartikel	Esswaren
Spielwaren	Fotos
Computer	

ÜBUNG E

PRÜFUNGSTRAINING ● ● ●

Nach einer Klassenparty machst du eine Liste von allem, was übrig bleibt (es gibt mindestens zehn Dinge.) Schreib auf, was es alles gibt.

Beispiel
Dies bleibt noch übrig:
zehn Dosen Cola, fünfzehn Würste, vier Tüten Chips, usw.

What you need to know

1 ein/e

Like the definite article (*der, die, das*), the indefinite article (*ein, eine*) changes depending upon the gender (masculine, feminine or neuter) of the noun. With masculine nouns only, it also changes if the noun is the object of a verb, rather than the subject:

	Masculine	Feminine	Neuter
Nominative (subject)	ein	eine	ein
Accusative (object)	einen	eine	ein

2 kein/e

You cannot say *nicht ein* in German. You must use the word *kein*. Similarly, if you want to say: 'I haven't got any money', you must in fact say:

'I have no money'   *Ich habe kein Geld.*

The endings for the word *kein* are the same as those for *ein*, though of course there is a plural, too:

	Masculine	Feminine	Neuter	Plural
Nominative (subject)	kein	keine	kein	keine
Accusative (object)	keinen	keine	kein	keine

3 After *es gibt*

Note that the accusative is always used after the expression *es gibt*, meaning 'there is' or 'there are', e.g.:

Es gibt *einen Parkplatz neben dem Bahhof.*
Gibt es *ein Kino oder ein Theater in dieser Stadt?*

4 In certain expressions

The accusative is also used in expressions such as:

jeden Tag	every day
nächste Woche	next week
letztes Wochenende	last weekend

The nominative and accusative cases (*ein* and *kein*)

Thinking it through

Using *ein* or *kein* when the noun is the subject or object of a verb:

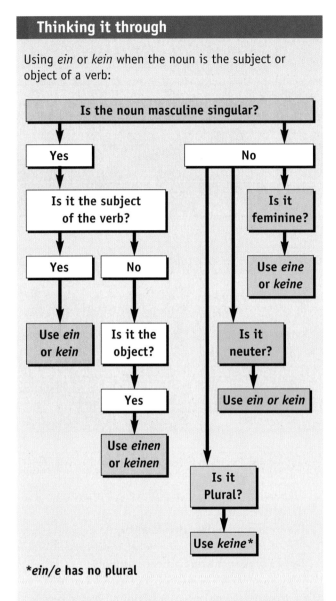

ein/e has no plural

ÜBUNG A ● ● ● ●

Asla und ihr kleiner Bruder Mamoud machen einen Spaziergang. Füll die Lücken mit ‚ein‘ oder ‚kein‘ aus.

Mamoud: Ich will einen Apfel.
Asla: Ich habe (**1**) <u>keinen</u> Apfel.
Mamoud: Ich will (**2**) e___ Stück Schokolade.
Asla: Ich habe (**3**) k___ Schokolade.
Mamoud: Hast du (**4**) e___ Bonbon?
Asla: Nein, ich habe (**5**) k___ Bonbons.
Mamoud: Was kostet (**6**) e___ Tüte Bonbons?
Asla: Ich habe (**7**) k___ Ahnung.
Mamoud: Kannst du mir (**8**) e___ Tüte Bonbons kaufen?
Asla: Wo? Hier gibt es (**9**) k___ Geschäfte! Und ich habe auch (**10**) k___ Geld.
Mamoud: Ja, und ich will (**11**) k___ Spaziergang machen! Ich gehe (**12**) k___ Schritt weiter!

ÜBUNG B ⟨ PRÜFUNGSTRAINING ⟩ ● ● ●

Beantworte diese Fragen von deinem Briefreund/deiner Brieffreundin.

„Hast du Geschwister? Ich bin ein Einzelkind – aber ich habe doch ein Meerschweinchen! Was für Haustiere hast du? Hast du dein eigenes Zimmer? Und hast du einen CD-Spieler? Hörst du deutsche Popmusik? Wenn nicht, schicke ich dir eine Kassette. Welche deutschen Sänger oder Sängerinnen kennst du?"

Beispiel
Ich habe zwei Schwestern.

ÜBUNG C ● ● ●

Sieh dir die Tabelle an und schreib dann einen Satz über jede Stadt.

Beispiel
Kräustadt hat ein Schwimmbad und ein Sportzentrum aber kein Kino, keine ..., usw.

	Schwimmbad	Kino	Sport-zentrum	Jugend-herberge	Markt	Camping-platz	Hotel	Bahnhof
Kräustadt	*		*					
Übermolden	*	*		*	*		*	*
Drellen				*		*	2	
Kleinbies	*				*		*	*
Bürholt		*	*		*		3	*

9

The dative case

What you need to know

1 Dative for indirect object

Look at the sentence: *Ich schenke meinem Vater eine Krawatte.* (I'm giving my father a tie). The subject of the verb *schenke* is *ich*. The object of the verb (what I am giving) is *eine Krawatte* and is in the accusative case. But this sentence also tells us whom I am giving the tie to. The words *meinem Vater* (to my father) are called the **indirect object**. Verbs meaning 'give', 'say', 'show', 'sell', etc., often have an indirect object. Look for the examples above.

In German an indirect object goes into the dative case. You do not need to translate the word for 'to' – the ending of the word that accompanies the noun shows you that it means 'to' someone. They are as follows:

	Masculine	Feminine	Neuter	Plural
dative ending	*-em*	*-er*	*-em*	*-en*
the	*dem*	*der*	*dem*	*den*
a	*einem*	*einer*	*einem*	*-*
my	*meinem*	*meiner*	*meinem*	*meinen*

An extra '-n' or '-en' is also added to the noun itself in the dative plural, e.g.:
*Was erzählen wir dann **den** Kinder**n**?*

2 Order of direct and indirect objects

When a sentence includes both a direct and an indirect object in the form of a noun, the indirect object (the dative) always comes first:

	indirect object	direct object
Ich schenke	*meinem Vater*	*eine Krawatte.*

But if either the direct or the indirect object is a pronoun, this always comes first:

*Ich schenke **ihm** eine Krawatte.* I'm giving him a tie.
*Ich schenke **sie** meinem Vater.* I'm giving it to my father.

Note: There are a few verbs that are always followed by a dative. The commonest of these are *helfen* (to help) and *danken* (to thank), as in the cartoon.

ÜBUNG A

Hier ist Renates Weihnachtsliste. Eine Freundin fragt:
„Was schenkst du alles zu Weihnachten?" Wie antwortet
sie?

Beispiel
Ich schenke meiner Mutter Ohrringe.

Mutter	Ohrringe
Vater	Handschuhe
Bruder	Computerspiel
Großeltern	Pflanze
Tante	Pralinen
Onkel	Buch
Cousinen	Poster
Brieffreund	CD
Klassenlehrerin	Bonbons

ÜBUNG B

Füll die Lücken in diesen Postern aus.

1

Probleme?

Sag ein**em** Freund
oder ein___ Freundin, was los ist.
Oder sag es dein___ Eltern oder
dein___ Lehrer.

2

Hilf diesen Winter ein___ Kind
oder ein___ alten Person!

3

Verdächtiges Paket?
Melde es sofort
ein___ Erwachsenen
oder d___ Polizei!

ÜBUNG C

Ein Tag im Leben eines Geldstückes. Füll die Lücken aus.

1   Ein Mann gibt sein**em** Sohn ein Geldstück.
2   D___ Junge gibt es ein__ Verkäuferin.
3   D___ Verkäuferin gibt es ein___ Dame.
4   D___ Dame gibt es ein___ Busfahrer.
5   D___ Busfahrer gibt es ein___ Mädchen.
6   D___ Mädchen leiht es ihr___ Brüder___.
7   D___ Brüder geben es ein__ Kellnerin.
8   D___ Kellnerin gibt es ihr__ Boss.
9   D___ Boss gibt es sein__ Kind.

ÜBUNG D

Was hinterlässt Herr Müller wem, wenn er stirbt?

Beispiel
Er hinterlässt seiner Frau sein Geld.

Frau	→	Geld
Sekretärin	→	Sportwagen
Sohn	→	Haus in der Stadt
Tochter	→	Haus auf dem Land
Enkelkinder	→	Briefmarkensammlung
Gärtner	→	Volkswagen
Bruder	→	Boot
Geschäftspartner	→	nichts!

ÜBUNG E   (PRÜFUNGSTRAINING)

Deine Freundin fährt nach Deutschland und besucht alle
Leute, die du dort kennst: deinen Brieffreund, seine
Schwester, seine Eltern, die Nachbarn, den Sportlehrer
und die Englischlehrerin. Du hast für alle Briefe, Fotos
und ein paar Geschenke. Sag, was sie jedem geben soll.

Beispiel
Gib meinem Brieffreund diese Fotos. Gib ...

What you need to know

The accusative case is used for the direct object of a verb (see page 4). It is also used automatically after the following prepositions:

bis	until, by
durch	through
für	for (also after *was für*, meaning 'what sort of')
gegen	against
ohne	without
um	round (often used together with *herum*)
entlang	along (*entlang* comes after the noun)

You will find examples of all of these in the cartoon.

Only masculine words change their endings in the accusative:

der becomes *den*; *ein* becomes *einen*; *dein* becomes *deinen*, etc.

The accusative of words like *dieser* ('this', 'that') and *jeder* ('each', 'every') is shown in the table below:

	Masculine	Feminine	Neuter	Plural
Nominative	*dieser*	*diese*	*dieses*	*diese*
Accusative	*diesen*	*diese*	*dieses*	*diese*

ÜBUNG A

Wie viele Sätze kannst du mit dieser Tabelle schreiben? Schreib sie alle auf!

Beispiel
Du kennst meine Schwester.

Du kennst	meine Schwester.
Ich gehe ohne	mein Bruder.
Die Karte ist für	meinen Freund.
Das ist	meine Eltern.

ÜBUNG B

Emin hat einen Nebenjob im Restaurant. Schreib das Gespräch fertig.

Herr Ober:	D<u>as</u> Brot ist für d<u>ie</u> Dame an Tisch 8.
	D___ Reis ist für d___ Leute an Tisch 5.
	D___ Rechnung ist für d___ Mann an Tisch 10.
	D___ Suppe ist für d___ Gruppe an Tisch 2.
	D___ Getränke sind für d___ Kinder an Tisch 5.
	D___ Hähnchen ist für d___ Herrn an Tisch 4.
	D___ Käse ist für d___ Mädchen an Tisch 7.
Emin:	Und d___ kalte Wurst?
Herr Ober:	Die ist für d___ Hund!

ÜBUNG C

In der Stadt. Füll die Lücken im Gespräch aus.

Tourist:	Entschuldigen Sie. Wie komme ich bitte zum Museum?
Mann:	Das Museum? Ja, Sie gehen hier die Bismarkstraße entlang, dann nach rechts, um **(1)** d<u>en</u> Platz herum, und das Museum ist ...
Frau:	Nein, das ist die Galerie.
Mann:	Na, was für **(2)** e___ Museum sucht er denn?
Frau:	Ja, zum Museum muss er durch **(3)** d___ Stadtmitte gehen, dann **(4)** d___ Kronenweg entlang.
Mann:	Sonst können Sie durch **(5)** d___ Park gehen. Aber ohne **(6)** e___ Plan ist es schwer zu erklären.
Tourist:	OK. Danke für **(7)** I___ Hilfe.

ÜBUNG D

Sieh dir den Plan an und schreib, wie man zum Schwimmbad hinkommt. Benutz die Wörter ‚entlang‘, ‚durch‘ und ‚um ... herum‘.

Beispiel
Du gehst die Königstraße entlang ...

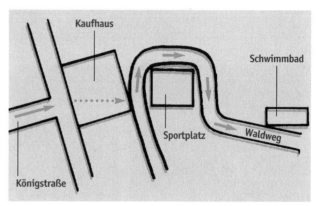

ÜBUNG E

Oliver spricht über seine Fußballmannschaft. Füll die Lücken aus.

Wir üben **(1)** <u>jede</u> Woche, **(2)** jed___ Mittwoch, auf dem Sportplatz. **(3)** Dies___ Samstag spielen wir gegen **(4)** e___ Klub aus Hessen. **(5)** Letz___ Jahr haben sie uns geschlagen. Aber dann mussten wir ohne **(6)** unser___ Kapitän spielen. **(7)** Dies___ Mal schlagen wir sie hoffentlich. Dann haben wir keine Spiele mehr bis **(8)** nächst___ Monat. Ich weiß nicht, was für **(9)** d___ Sommer geplant ist.

ÜBUNG F — PRÜFUNGSTRAINING ●●●

Dein(e) Brieffreund(in) fragt dich: „Welche Pläne hast du für die nächsten Monate? Was machst du und wann?" Schreib eine Antwort!

Beispiel
Nächstes Wochenende besuchen wir meine Tante in ...

13

Prepositions followed by the dative

1 Prepositions followed by the dative

The dative case is used for the indirect object of a verb (the person whom you are saying or giving something to – see page 10). It is also used automatically after the following prepositions:

aus	out of	*seit*	since, for
bei	at someone's		(see 4 below)
	house, with	*von*	from, by
mit	with	*zu*	to
nach	after	*gegenüber*	opposite (often after the noun)

2 Dative forms

The dative of *der*, *mein* and *dieser* is shown in the table below:

Masculine	Feminine	Neuter	Plural
dem	*der*	*dem*	*den**
meinem	*meiner*	*meinem*	*meinen**
diesem	*dieser*	*diesem*	*diesen**

* Note that in the dative plural, an '-n' or '-en' is added to the noun as well, unless it already ends in one.

3 Contracted forms

In the dative, shorter versions of some expressions are common:

zu dem (masculine or neuter)	➜	*zum*
zu der (feminine)	➜	*zur*
bei dem (masculine or neuter)	➜	*beim*
von dem (masculine or neuter)	➜	*vom*

4 seit

To say how long you have been doing something for, German uses the present tense with *seit*, unlike English which uses a past tense:

*Ich lerne **seit** drei Jahren Deutsch.*
I've been learning German for three years.

*Wir warten **seit** einer Stunde.*
We've been waiting for an hour.

ÜBUNG A

Verbinde die passenden Satzhälften.

Beispiel
1D Uschi kommt aus dem Haus

1	Uschi kommt aus dem	A	Bus nach Kreuztal.
2	Sie wohnt gegenüber	B	Englischschreiben.
3	Sie fährt mit dem	C	Pause hat sie Englisch.
4	Dort geht sie zur	D	Haus.
5	Nach der	E	Englischlehrerin.
6	Uschi hat Probleme beim	F	der Bushaltestelle.
7	Sie bekommt eine schlechte Note von der	G	Monat keine gute Noten mehr.
8	Sie hat seit einem	H	Schule.

ÜBUNG B

Füll die Lücken im Gespräch aus.

Renate: Siehst du den Jungen mit dem schwarzen Hemd da?
Kirsten: Den mit **(1)** d_en_ langen **(2)** Haare___?
Renate: Ja. Er heißt Jürgen. Er kommt aus **(3)** d__ Schweiz. Er wohnt bei **(4)** e___ Familie in der Kermstraße. Er ist schon seit **(5)** e__ Monat da.
Kirsten: Er sieht nett aus.
Renate: Ja, und er fährt mit **(6)** unser___ Klasse **(7)** z___ Bodensee!
Kirsten: Wann ist eigentlich deine Klassenfahrt?
Renate: **(8)** V___ zehnten bis **(9)** z___ fünfzehnten.
Kirsten: Ach nein! Dann kannst du nicht zu **(10)** mein___ Party kommen! Oder ich gebe die Party nach **(11)** d___ Klassenfahrt. Dann bist du mit **(12)** d___ Jungen vielleicht besser befreundet!
Renate: Ich glaube nicht. Sieh mal! Er spricht seit **(13)** ein___ Stunde mit **(14)** mein___ Freundin!

ÜBUNG C

Füll die Lücken aus.

Was ich **(1)** z_um_ Geburtstag mache? Ja, wir kommen erst um ein Uhr aus **(2)** d___ Schule. Zu Mittag esse ich dann bei **(3)** mein___ Großeltern. Seit **(4)** ein___ Jahr haben sie eine Wohnung nicht weit von **(5)** unser___ Haus. Nach **(6)** d___ Mittagessen fahre ich dann mit **(7)** mein___ Mutter in die Stadt, um mein Geschenk **(8)** v___ Computergeschäft zu holen. Hoffentlich bekomme ich auch etwas von **(9)** mein___ Vater!

ÜBUNG D

Lies das Gespräch, und beantworte dann die Fragen.

Asla: Ach, da bist du ja.
Uschi: Ja, ich war gerade in der Turnhalle.
Asla: Seit meinem Unfall im letzten Jahr mag ich Turnen nicht mehr.
Uschi: Aber du schwimmst noch, oder?
Asla: Ja, ja. Du, nächsten Samstag ist das Schwimmfest. Kommst du mit? Nachher gibt es eine Party.
Uschi: Ja, aber klar! Mensch, habe ich Hunger! Hast du etwas zu essen?
Asla: Nein, aber ich glaube, der Bäcker verkauft Chips.
Uschi: Gut, ich gehe hin. Ach nein! Da kommt schon die Straßenbahn!

Beispiel
1 Aus welchem Raum kommt Uschi? (benutze **,aus'**)
Sie kommt aus der Turnhalle.

2 Wie hat sie ihren Unfall gehabt? (benutze **,bei'**)
3 Seit wann mag sie Turnen nicht mehr? (benutze **,seit'**)
4 Wozu lädt sie Uschi am Samstag ein? (benutze **,zu'**)
5 Wann ist die Party? (benutze **,nach'**)
6 Wo will Uschi Chips kaufen? (benutze **,bei'**)
7 Wie fahren die Mädchen in die Stadt? (benutze **,mit'**)

ÜBUNG E

PRÜFUNGSTRAINING

Beantworte diese Fragen von deinem Brieffreund bzw. deiner Brieffreundin.
Beispiel
Ich fahre mit dem Auto in die Schule.

„Wie kommst du in die Schule? Mit wem? Mit welchen Lehrern kommst du gut aus und mit welchen nicht so gut? Wo isst du zu Mittag? Und wo machst du deine Hausaufgaben?"

What you need to know

1 Movement or position?

After the following prepositions, the accusative is used if you are talking about movement, and the dative if you are talking about the position of something or someone:

in	into, in	*über*	over, above
an	to, at	*unter*	under, beneath
auf	onto, on	*vor*	in front of
hinter	behind	*zwischen*	between
neben	next to, beside		

*Stell sie **in den** Einkaufswagen.*	Put them in the trolley. (movement = accusative)
*Ist sie nicht **im** Einkaufswagen?*	Isn't it in the trolley? (position = dative)

Read through the cartoon and make sure you understand the reasons for the choice of accusative or dative each time one of these prepositions is used.

2 A reminder

	Masculine	Feminine	Neuter	Plural
Accusative	*den*	*die*	*das*	*die*
Dative	*dem*	*der*	*dem*	*den*

3 Contracted forms

Shorter versions of some expressions are common:

in das	→	*ins*	*in dem* (masc. or neut.)	→	*im*
an das	→	*ans*	*an dem* (masc. or neut.)	→	*am*
auf das	→	*aufs*			

4 Special uses

Note that *vor* meaning 'ago' always takes the dative: *vor einem Jahr*.

The following phrases using *auf*, *an* and *über* always take the accusative: *warten **auf**, sich freuen **auf**, denken **an**, sich erinnen **an**, sprechen **über***.

Prepositions followed by the accusative or dative

Thinking it through

After *in, an, auf, über, unter, vor, hinter, zwischen* and *neben*:

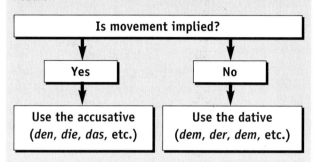

Is movement implied?

| Yes | No |

Use the accusative (*den, die, das*, etc.)
Use the dative (*dem, der, dem*, etc.)

ÜBUNG A

Akkusativ oder Dativ? Wähl das richtige Wort.

1 Wo ist die Lauerstraße, bitte? Ich finde sie nicht auf *den* / (*dem*) Stadtplan.

2 So. Wir sind jetzt hier, vor *den* / *dem* Bahnhof.

3 Dort ist die Brücke über *den* / *dem* Kanal.

4 Sie müssen über *die* / *der* Brücke gehen.

5 Dann sind Sie in *die* / *der* Friedrichstraße.

6 An *die* / *der* Kreuzung steht ein Hotel.

7 Die Lauerstraße ist hinter *das* / *dem* Hotel.

ÜBUNG B

Füll die Lücken aus

Thomas: Fahrt ihr diesen Sommer an die See?
Oliver: Nein, wir fahren **(1)** aufs Land.
Thomas: Mir gefällt es **(2)** auf d___ Land nicht . **(3)** In e___ Dorf gibt es nichts zu tun.
Oliver: **(4)** An d___ See kann man auch nicht so viel machen! Man liegt **(5)** a___ Strand oder man geht **(6)** in___ Wasser. **(7)** In d___ Gegend, wo wir Urlaub machen, kann man **(8)** i___ Fluss schwimmen, **(9)** in d___ Berge gehen, oder eine Radtour **(10)** i___ Wald machen. Oder man kann einfach **(11)** in d___ Sonne liegen, ohne Sand **(12)** in d___ Augen zu kriegen!

ÜBUNG C

Nach der Party bei Renate. Lies den Text, dann beantworte die Fragen.

Asla: Guck mal ins Wohnzimmer. Was mache ich mit den Flaschen?
Renate: Die kannst du da lassen. Die Gläser kannst du aber in die Küche bringen. Wir spülen sie sofort ab. Sind die Stühle jetzt alle wieder im Esszimmer?
Asla: Noch nicht. Ich bringe sie aber gleich hin. Ach, der Bruno hat seine Jacke vergessen!
Renate: Wir geben sie ihm morgen in der Schule zurück. Gibt es noch Kuchen?
Asla: Ja, ich habe ihn in den Kühlschrank gestellt. Ach Mensch! Hast du den Fleck auf dem Sofa gesehen?
Renate: Ja. Der Thomas hat Cola darauf verschüttet. Ich muss es sauber machen. Aber gehen wir zuerst in den Garten. Ich will Kaffee trinken.

Beispiel
1 Sie lässt sie im Wohnzimmer.

1 Wo lässt Asla die Flaschen?
2 Wo spülen sie die Gläser ab?
3 Wo bringt Asla die Stühle hin?
4 Wo bringen sie Brunos Jacke hin?
5 Wo ist der Kuchen?
6 Worauf hat Thomas Cola verschüttet?
7 Wo wollen die Mädchen Kaffee trinken?

ÜBUNG D   PRÜFUNGSTRAINING

Schreib eine Antwort auf diese E-Mail von deinem Brieffreund.

```
Bald kommst du nach Deutschland. Wo holen wir
dich ab? Wo möchtest du hingehen? Hast du
Ideen? Kino? Theater? Sportzentrum? Museen? Wo
verbringst du normalerweise deine Freizeit?
```

Beispiel
Hol mich bitte vom Flughafen ab.

The genitive case

What you need to know

1 Meaning 'of'

The main use of the genitive is to mean 'of'. When the word for 'the', 'a', 'my', etc. is in the genitive case, it means 'of the', 'of a', 'of my' and so on. You do not need to use a separate word meaning 'of'. Here are 'the' and 'my' in the genitive:

Masculine	Feminine	Neuter	Plural
des*	der	des*	der
meines*	meiner	meines*	meiner

*An '-s' is added to masculine and neuter nouns themselves in the genitive (or '-es' if the noun has only one syllable):

*das Blau des Himmel**s***   *das Grün des Gras**es***

Dein, sein, ihr, unser, euer, dieser, jeder and *welcher* all change like *mein* in the genitive.

In English you can add an apostrophe plus '-s' to a noun to show who something belongs to:
My sister**'s** bike, Robert**'s** house

In German you can only do this with a person's name, and there is no apostrophe. So you can say:

*Robert**s** Haus*
but *Das Fahrrad meiner Schwester* (genitive)
or   *Das Fahrrad von meiner Schwester* (dative after *von*)

2 After certain prepositions

The genitive is also used after certain prepositions. The commonest of these are:

wegen	because of
trotz	in spite of
während	during (the course of)

The 'of' in the English here should help you remember to use the genitive with them.

3 Special uses

Note the special use of the genitive in the expression meaning 'one day', which appears in the cartoon (*eines Tages*).

ÜBUNG A ○ ○

Familie Klebert war im Urlaub bei Frau Wims und hat viele Sachen zurückgelassen.

- Herr Klebert hat seinen Regenschirm und seine Brille vergessen.
- Frau Klebert hat ihren Hut und ihre Bluse vergessen.
- Die Tochter hat ein Buch vergessen.
- Die Zwillinge haben ihr Spiel und ihren Ball vergessen.
- Der Hund hat seine Leine vergessen.

Familie Klebert ist jetzt wieder zu Hause, aber welche Sachen sind noch bei Frau Wims?

Beispiel
Der Regenschirm des Mannes.

ÜBUNG B ○ ○

Füll die Lücken aus.

Hallo! Da bin ich also wieder in Dresden. Hier habe ich die ersten Jahre **(1)** mein__ **(2)** Leben__ verbracht. Das Schaufenster **(3)** d__ **(4)** Geschäft__ im Erdgeschoß **(5)** unser__ alten **(6)** Wohnblock__ ist genau dasselbe! Ich habe mit dem Sohn **(7)** d__ Familie gesprochen, die jetzt in unserer alten Wohnung wohnt. Er sagt, die Atmosphäre **(8)** d__ Stadt ist ganz anders – die Farbe **(9)** d__ Haustüre auch! Ich habe versucht, das Haus **(10)** mein__ **(11)** Freund__ zu finden, aber der Name **(12)** d__ Straße ist nicht mehr derselbe. Am Ende **(13)** d__ Woche besuche ich die Familie **(14)** mein__ Cousine in Leipzig.

Beste Grüße,   Olaf

ÜBUNG C ○ ○

Einige junge Leute stellen folgende Fragen über ein Konzert.

> Um wie viel Uhr fängt das Konzert an?
> Wie groß ist der Saal?
> Was kostet eine Eintrittskarte?
> Wie heißt die Gruppe?
> Wie heißen ihre CDs?
> Wie alt ist der Sänger?
> Die Straßenbahn fährt dahin, aber welche Nummer?

Was wollen sie wissen?

Beispiel
1 Die Uhrzeit **des Konzerts**.

1 Die Uhrzeit ...	5 Die Titel ...
2 Die Größe ...	6 Der Alter ...
3 Der Preis ...	7 Die Nummer ...
4 Der Name ...	

ÜBUNG D ○ ○

Lies die Sätze und füll dann die Lücken aus.

Beispiel
1 Siehst du den Regen? Das Konzert findet trotzdem statt.
Das Konzert findet trotz <u>des</u> <u>Regens</u> statt.

2 Ich gehe nicht ins Kino. Ich habe im Augenblick Prüfungen.
Ich gehe während ___ ___ nicht ins Kino.

3 Anja kommt nicht zur Party. Ihre Mutter will nicht, dass sie hingeht.
Anja kommt wegen ___ ___ nicht zur Party.

4 Das Wetter ist schlecht, aber wir gehen trotzdem schwimmen.
Sie gehen trotz ___ ___ schwimmen.

5 Siehst du den Preis? Dieses Hemd kaufe ich nicht!
Er kauft das Hemd wegen ___ ___ nicht.

6 Diese Woche spiele ich kein Fußball. Ich warte auf die Ferien.
Er spielt während ___ ___ Fußball.

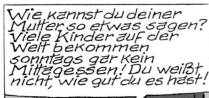

Read through the cartoon and make sure you understand why all the case endings are as they are.

Find examples of:
- *in* + the accusative
- *in* + the dative
- a dative plural
- an indirect object.

	Masculine	Feminine	Neuter	Plural
Nom.	der	die	das	die
	mein	meine	mein	meine
Acc.	den	die	das	die
	meinen	meine	mein	meine
Dat.	dem	der	dem	den
	meinem	meiner	meinem	meinen
Gen.	des	der	des	der
	meines	meiner	meines	meiner

A reminder of how *der* and *mein* change in the four cases:

Thinking it through

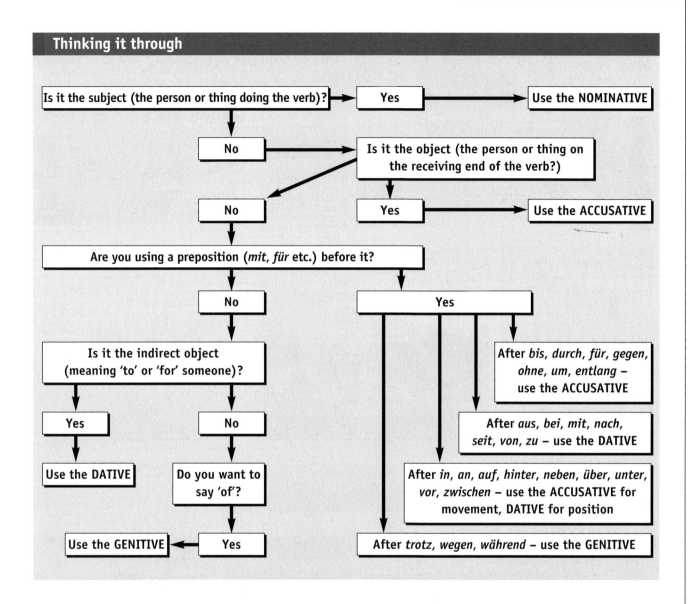

ÜBUNG A

Füll die Lücken aus.

(1) Ein Babysitter liest (2) e___ Kind (3) ein___ Geschichte vor:
(4) ‚Ein___ (5) Tag___ geht (6) e___ Katze aus (7) d___ Haus. Sie will in (8) d___ Großstadt gehen. Auf (9) d___ Straße trifft sie (10) e___ Mädchen.
„Wie komme ich nach Bremen?,“ fragt (11) d___ Katze.
(12) D___ Mädchen zeigt (13) d___ Katze (14) d___ Weg. (15) D___ Katze dankt (16) d___ Mädchen und geht weiter. Nach (17) ein___ Weile kommt (18) d___ Katze zu (19) ein___ Kreuzung. Da stehen (20) e___ paar Hunde.
„Wie komme ich bitte nach Bremen?,“ fragt sie (21) d___ Hunde. (22) D___ Hunde sagen (23) d___ Katze, wo (24) d___ Weg nach Bremen ist. Sie dankt (25) d___ (26) Hunde___ und geht weiter.‘
‚Was passiert (27) a__ Ende (28) d__ Geschichte?‘, fragt (29) d__ Kind.
(30) ‚K___ Ahnung. Sie kommt wahrscheinlich in (31) d__ Großstadt an,‘ sagt (32) d__ Babysitter. ‚Da musst du auf (33) d__ Ende warten.‘

What you need to know

1 Subject, object and indirect object pronouns

Pronouns are little words like 'you', 'she', and 'we', which replace a noun. They change (just like *der, ein, dieser*, etc.), depending on what case they are in. To remind yourself why and when they change, look at the flowchart on page 21.

Meaning	Nominative	Accusative	Dative
I/me	*ich*	*mich*	*mir*
you (singular) ◆	*du*	*dich*	*dir*
he/him/it ★	*er*	*ihn*	*ihm*
she/her/it ★	*sie*	*sie*	*ihr*
it	*es*	*es*	*ihm*
one ▼	*man*	*(einen)*	*(einem)*
we/us	*wir*	*uns*	*uns*
you (plural) ◆	*ihr*	*euch*	*euch*
they/them	*sie*	*sie*	*ihnen*
you (polite) ◆	*Sie*	*Sie*	*Ihnen*
who	*wer*	*wen*	*wem*

Here are some examples:

Subject pronoun (nominative): **Ich** *weiß nicht.*
Object pronoun (accusative): *Ich verstehe* **dich** *nicht.*
Indirect object pronoun (dative): *Wie kann ich es* **euch** *erklären?*

★ The word for 'it' in German is only *es* when you are talking about a neuter noun. For something that is masculine (e.g. *ein Wagen*), the word for 'it' will be *er, ihn* or *ihm*, depending on the context. For something that is feminine (e.g. *eine Schule*), the word for 'it' will be *sie* or *ihr*.

◆ Remember that there are three words for 'you' in German: a singular (*du*), a plural (*ihr*) and a polite form (*Sie*), which is both singular and plural.

▼ *Man* is used a lot in German, and can be translated in different ways in English.
It can mean 'they', or 'you', e.g.:
In Deutschland isst **man** *oft abends kalt.*
Was kann **man** *in Hamburg machen?*

What you need to know

2 Wer

The word for 'who' also has different forms, depending upon the case it's in, e.g.:

Wer will Kaugummi?	('who' is the subject of the verb)
Wen kennst du?	('who' is the object of the verb *du kennst*)
Mit *wem* gehst du aus?	(dative after *mit*)

3 Pronouns after prepositions

You can put a pronoun that refers to a person after a preposition: an accusative pronoun after certain prepositions:
*Das ist für **dich**.*
A dative pronoun after certain prepositions:
*Was ist mit **ihr** los?*

However, when you are referring to a thing rather than to a person, use the words *damit, darauf, darin, davon*, etc. rather than a pronoun, e.g.:
*Ich warte auf den Bus – Ich warte **darauf**.*

Note that an 'r' is added when the pronoun ends in a vowel, e.g.: *da**r**in.*

Read through the cartoon and make sure that you understand why each of the pronouns used is in the form it is.

ÜBUNG A ●●

Ersetz die Wörter in Grün mit einem Pronomen.

Beispiel
1 Er gibt eine Party.

1 Oliver gibt eine Party.
2 Oliver sieht Renate in der Stadt.
3 Anja spricht mit Renate.
4 Renate und Anja können nicht zur Party gehen.
5 Renate macht Babysitting für einen Freund.
6 Anja verbringt den Abend bei ihrer Tante.
7 Oliver geht mit Renate und Anja ins Café.
8 Die Mädchen rufen den Kellner.
9 Sie sagen dem Kellner, was sie trinken wollen.

ÜBUNG B ●●

Füll die Lücken mit den richtigen Pronomen aus.

1 Ich habe heute Geburtstag. Diese Karten sind für <u>mich</u>. Meine Eltern schenken ___ Kleider.
2 Wo ist Thomas? Ich muss mit ___ sprechen. Ich habe Geld für ___. Ist ___ nicht da?
3 Kennst du die drei Mädchen da? Ich kenne ___ nicht. Wie heißen ___? Was weißt du sonst von ___?
4 Bist ___ zu Hause? Kann ich zu ___ kommen? Ich habe etwas für ___.
5 Meine Freundin und ich sehen viel fern, aber ___ gehen nicht oft ins Kino. Filme interessieren ___ nicht.
6 Meine Englischlehrerin ist toll. Ich komme gut mit ___ aus. ___ spricht auch fantastisch Englisch. Ich kenne ___ seit zwei Jahren.
7 Du und deine Schwester, ihr habt Glück! ___ wohnt mitten in der Stadt. Der Bus bringt ___ direkt nach Hause.
8 Siehst du den Tennisspieler da? W___ ist das? Bei ___ wohnt er? Gegen ___ spielt er?

ÜBUNG C ●●

Füll die Lücken jeweils mit einem Wort oder mit zwei Wörtern aus.

1 Was weißt du von diesem Lehrer?
   Ich weiß nichts <u>von ihm</u>.

2 Was gibt es in deinem Rucksack?
   Es gibt nichts ___.

3 Was hat sie auf ihrem T-shirt?
   Sie hat ein Motiv ___.

4 Was machst du heute mit Uschi?
   Ich spiele ___ ___ Tennis.

5 Interessiert er sich für Politik?
   Nein, er interessiert sich überhaupt nicht ___.

6 Hast du ein Geschenk für Oliver?
   Ja, ich habe Bonbons ___ ___.

7 Was machst du mit dem Geld?
   Ich kaufe eine Gitarre ___.

Possessive adjectives

What you need to know

Possessive adjectives are words like 'my', 'your' etc., which tell you to whom something belongs.
In German they are:

mein	my
dein	your (singular)
sein	his, its
ihr	her
unser	our
euer	your (plural)
ihr	their
Ihr	your (polite)

As with other words (articles, adjectives, etc.), the endings change according to which case the noun is in. This depends on the job the noun is doing in the sentence – subject, object, after a particular preposition, etc. The flowchart on page 21 shows all the possibilities.

The endings of possessive adjectives are like those for *ein* and *kein*, i.e. there is no ending for the nominative masculine and the nominative and accusative neuter, e.g.:
dein Spiel   *euer Taschengeld*

	Masculine	Feminine	Neuter	Plural
Nominative	*mein*	*meine*	*mein*	*meine*
Accusative	*meinen*	*meine*	*mein*	*meine*
Dative	*meinem*	*meiner*	*meinem*	*meinen* (+ n on noun)
Genitive	*meines* (+ s on noun)	*meiner*	*meines* (+ s on noun)	*meiner*

ÜBUNG A

Vervollständige die Possessivadjektive.

(Nominative)

1 Das ist mein Bruder, das ist m<u>eine</u> Schwester und das sind m___ Geschwister.
2 D___ Kugelschreiber, d___ Stifte und d___ Heft sind auf dem Boden.
3 S___ Onkel, s___ Tante und s___ Großeltern wohnen alle in Köln.

(Accusative)

4 Du musst d___ Rock, d___ Bluse und d___ Pulli einpacken.
5 Wo habt ihr e___ Pässe, e___ Geld und e___ Koffer gelassen?
6 Die Gruppe führt ein Theaterstück für i___ Deutschlehrer, i___ Englischlehrerin und i___ Mitschüler auf.

(Dative)

7 Wir haben jeweils einen Fernseher in u___ Wohnzimmer, in u___ Küche und in u___ drei Schlafzimmern.
8 Ich habe heute von m___ Großeltern, von m___ Cousine und von m___ Austauschpartner Briefe bekommen.
9 Katrin versteht sich gut mit i___ Familie, i___ Freunden und i___ Klasse.

ÜBUNG B

Füll die Lücken in diesem Brief aus.

Liebe Asla

Vielen Dank für deinen Brief und für die Fotos von **(1)** <u>deiner</u> Familie. **(2)** D___ kleiner Bruder sieht niedlich aus, mit **(3)** s___ Trainingsanzug und **(4)** s___ Sonnenbrille. **(5)** D___ Eltern sehen nett aus. Ist das **(6)** d___ Mutter in **(7)** e___ Garten auf dem Foto? Ich schicke dir ein paar Fotos mit – von **(8)** m___ Eltern, von **(9)** m___ Freund und von **(10)** u___ Katze. Ist das **(11)** e___ Hund auf dem Foto? Schreib bald wieder!

Gisela

ÜBUNG C

Herr Bergmayer schreibt ans Verkehrsamt. Vervollständige die Possessivadjektive.

Sehr geehrte Damen und Herren,

Ich möchte nächstes Jahr mit meiner Familie in **(1)** <u>Ihrer</u> Gegend Urlaub machen. Wir brauchen ein Zimmer für **(2)** m___ Frau und mich und ein zweites für **(3)** u___ zwei Kinder. Wir wollen auch **(4)** u___ Hund mitbringen. Ich habe **(5)** I___ Broschüre vom Reisebüro bekommen und sehe, dass es in Lehmtal ein kleines Hotel mit Swimmingpool gibt. Können Sie mir bitte **(6)** s___ Adresse und **(7)** s___ Telefonnummer geben? Meine Tochter fragt auch, ob sie dort **(8)** i___ Fahrrad benutzen kann.

Danke im Voraus für **(9)** I___ Hilfe! Wir freuen uns schon auf **(10)** u___ Besuch.

K. Bergmayer

ÜBUNG D — PRÜFUNGSTRAINING

Eine deutsche Freundin hat dir geschrieben. Beantworte ihre Fragen. Stell dann eine Frage über jede Person in ihrer Familie.

„Mutti, Vati, mein Bruder und meine Schwester wollen alles über dein Haus wissen. Ist es groß, klein, alt, modern? Und dein Schlafzimmer – wie ist es? Wo wohnen deine Großeltern? Bei dir im Haus? Und dein Bruder – was sind seine Hobbys?"

Beispiel
Unser Haus ist mittelgroß ...

25

Adjectives

What you need to know

1 Adjectives after the noun

The good news: an adjective which is not directly in front of the noun does not change at all, e.g.:

Der Wagen ist weiß.   Das Haus ist alt.   Die Kinder sind glücklich.

2 Adjectives before the noun

The bad news: when used before a noun, an adjective changes its endings depending on what word comes before it and which case the noun is in:

	Masculine	Feminine	Neuter	Plural
Nom.	*der alte* *ein alter* Mann	*die* *eine* alte Frau	*das alte* *ein altes* Haus	*die* *keine* alten Leute
Acc.	*den* *einen* alten Mann	*die* *eine* alte Frau	*das alte* *ein altes* Haus	*die* *keine* alten Leute
Dat.	*dem* *einem* alten Mann	*der* *einer* alten Frau	*dem* *einem* alten Haus	*den* *keinen* alten Leuten
Gen.	*des* *eines* alten Mannes	*der* *einer* alten Frau	*des* *eines* alten Hauses	*der* *keiner* alten Leute

Notice that after dieser, *jeder* or welcher the adjective endings are the same as after *der* (ending in '-e' 'or-en').

What you need to know

After *ein*, *kein*, or any possessive adjective (*mein*, *dein*, *ihr*, etc.) the adjective ending follows a different pattern in three instances: in the masculine nominative and the neuter nominative and accusative (see table). Here, the word *ein* etc. has no endings itself, so the adjective takes an appropriate ending: *ein alter* ... (like *der*) and *ein altes* ... (like *das*).

3 Plural adjectives without *die*, *meine*, etc.

These take an '-e' ending in the nominative and accusative and '-en' in the genitive and dative. *Viele*, *alle*, *einige* and *mehrere* count as ordinary adjectives:

schöne Geschenke	*nice presents*
viele weiße Wagen	*lots of white cars*

4 Adjectives after *etwas* and *nichts*

These take an '-es' (neuter) ending and start with a capital letter, like a noun. So 'something important' is *etwas Wichtiges* and 'nothing special' is *nichts Besonderes*.

Thinking it through

Is the adjective in front of a noun?

→ **Yes**

→ **No** → **No ending**

Is there a word like *der*, *dieser*, *jeder*, *welcher*, *ein*, *kein*, *mein*, etc. before it?

→ **No**

→ **Yes** → **Use the endings in the table**

Plural adjectives end in '-e' (nominative and accusative) or '-en' (dative and genitive)

ÜBUNG A

Schreib das Adjektiv für jeden Satz richtig.

1 *neu*

Der	neue	Wagen ist da!
Wir haben etwas		gekauft.
Ist dieser Wagen		?
Das ist kein		Wagen!

2 *kalt*

Meine Hände sind		!
Wieso hast du		Hände?
Sieh meine		Hände an!
Ich kann mit		Händen nichts machen.

ÜBUNG B

Was tragen die vier Mädchen heute? Schreib die Beschreibung fertig.

Renate trägt einen_ weiß___ Pulli und ein___ schwarz___ Rock. Uschi trägt heute nichts Besonder___: ihr___ gewöhnlich___ Jeans mit ein___ rot___ Pulli. Asla trägt braun___ Schuhe und alt___ Jeans mit ein___ weiß___ Hemd und ein___ blau___ Jacke. Katrin hat heute trotz d___ schlecht___ Wetters nur ihr___ grau___ Hose und ihr___ bunt___ T-Shirt an. Aber für die Disco mit d___ ganz___ Klasse heute Abend ziehen sie alle etwas Ander___ an.

ÜBUNG C — PRÜFUNGSTRAINING

Beantworte folgende Fragen im Brief von deinem Brieffreund bzw. deiner Brieffreundin.

„Hast du einen langen Schulweg? Trägst du eine Schuluniform? Beschreib sie mir. Erzähl mir auch etwas von deiner Klasse und deinen Freunden oder Freundinnen. Wie sieht dein bester Freund bzw. deine beste Freundin aus? Haar? Augen? Größe?"

Beispiel
Ich habe keinen langen Schulweg – nur zehn Minuten zu Fuß ...

Comparison of adjectives

1 Comparative of adjectives

As in English, comparative adjectives ('smaller', 'heavier', etc.) are formed by adding '-er', and on many one-syllable adjectives, an Umlaut too:

klein → *kleiner*   *alt* → ***älter***

In English we only do this with short adjectives, and use the word 'more' with longer ones (e.g. 'more intelligent'). In German, though, '-er' can be added to all adjectives, however long:

intelligent → *intelligenter*

Note the use of *als* for 'than' and *nicht so ... wie* for 'not as ... as'.

2 Superlative of adjectives

The superlative ('smallest', 'heaviest') is formed by adding '-est' or '-st' to the adjective. This can be added to any adjective in German, however long:

intelligent → *intelligentesten*

3 Comparative and superlative endings

Like any other adjective, a comparative or superlative can be used in two ways:

a when it is not directly in front of a noun.

In this case the comparative takes no ending:
Heute ist es noch länger.   *Renate ist älter.*

The superlative takes the following special form:
*Uschi ist **am** äl**testen**.*

b when it is directly in front of a noun.

A comparative or superlative takes ordinary adjective endings (see page 26) depending on the case of the noun:

*Das ist sein älter**er** Bruder.*
*Die längst**e** Strecke haben wir morgen.*

4 Exceptions

Note the irregular form: *gut   besser   am besten.*

28

ÜBUNG A

Schreib die Adjektive im Komparativ und Superlativ auf.

1 Bruno ist <u>älter</u> als Oliver, aber Thomas ist <u>am ältesten</u>. *(alt)*

2 Mathe ist ___ als Physik, aber Biologie ist ___ ___. *(leicht)*

3 Italien ist ___ weg als die Schweiz, aber Griechenland ist ___ ___ weg. *(weit)*

4 Renate ist ___ als Uschi, aber Katrin ist ___ ___. *(jung)*

5 Erdkunde ist ___ als Deutsch, aber Geschichte ist ___ ___. *(interessant)*

ÜBUNG B

Lies diese Informationen über drei Diskotheken und füll dann die Lücken mit einem Wort von der Liste unten aus.

	Rockkeller	Kalypso	A1
Eintritt	DM10,00	DM6,50	DM8,00
km von der Stadtmitte	6	9	4
Plätze	200	170	140
Altersgruppe	ab 18 Jahre	15-25	20-35

Beispiel

1 Die A1 ist <u>billiger</u> als der Rockkeller.

2 Die Kalypso ist am ___.

3 Der Rockkeller ist ___ zur Stadtmitte als die Kalypso.

4 Die A1 ist am ___.

5 Die Kalypso ist ___ als die A1.

6 Die Kalypso ist nicht so ___ wie der Rockkeller.

7 Der Rockkeller ist am ___ .

8 Der Rockkeller ist ___ als die A1 für junge Leute.

9 Die Kalypso ist am ___ für junge Leute.

> **besser**   **besten**   *billiger*
> *billigsten*   groß   **größer**
> **größten**   näher   nächsten

ÜBUNG C

Lies das Gespräch und finde dann die richtigen Adjektive im Komparativ oder im Superlativ, um die Sätze zu vervollständigen.

Asla: Der Holger ist so faul! Ich kenne niemanden, der so faul ist!

Uschi: Ach nein, er ist nicht so faul wie Alex. Alex sagt: „Was kann besser sein, als stundenlang Musik zu hören?"

Asla: Ist Alex denn nicht mehr dein Freund?

Uschi: Doch. Der ist viel netter als die anderen Jungen in seinem Alter. Er ist nur faul. Als Beispiel, wir schauen uns einen Film an und ich sage zu ihm: „Der Film ist nicht so interessant wie das Buch." Was sagt er? „Ja, aber man braucht nicht so lange, um einen Film zu sehen!"

Asla: Du, wenn ich mit Holger Tennis spielen will, hat er immer etwas zu tun, was wichtiger ist.

Uschi: Das stimmt. Die Jungen, die sehr aktiv sind, sind nicht immer sehr nett.

Beispiel

1 Holger ist die <u>faulste</u> Person, die Asla kennt.

2 Uschi meint, Alex ist viel ___ als Holger.

3 Für Alex gibt es nichts ___, als den ganzen Tag Musik zu hören.

4 Alex ist der ___ Junge in seinem Alter, meint Uschi.

5 Uschi sagt: „Das Buch ist ___ als der Film."

6 Wenn Asla Tennis spielen will, hat Holger immer etwas ___ zu tun.

7 Uschi meint, die ___ Jungen sind nicht immer die ___.

ÜBUNG D   PRÜFUNGSTRAINING

Beantworte folgende Fragen von deinem Brieffreund bzw. deiner Brieffreundin. Versuch, einige Komparative zu benutzen.

„Ich habe das kleinste Schlafzimmer im Haus. Du auch? Wie war dein altes Haus und wie ist dein neues? Welche Stadt in deiner Gegend ist am größten? Ist das auch die schönste?"

Beispiel
Mein neues Haus ist größer als mein altes Haus.

What you need to know

1 How they are formed

Adverbs are the same as adjectives in German. So *gut* means 'good' or 'well', *langsam* means 'slow' or 'slowly'. Comparatives and superlatives are the same, too:

langsamer	more slowly
am langsamsten	slowest

2 Liking, preferring, liking most of all

Use *gern* with most verbs to say you like doing something:

*Ich spiele **gern** Fußball.*   I like playing football.

The comparative of *gern* is *lieber*. Use this to say what you prefer doing:

*Ich spiele **lieber** Tennis.*   I prefer playing tennis.

Use the superlative *am liebsten* to say what you like doing best:

***Am liebsten** spiele ich Basketball.*
I like playing basketball best.

Note *am besten* meaning 'the best thing'.

ÜBUNG A   ● ●

Schreib das Gegenteil von jedem Adverb in Grün.

1 Ich gehe **selten** ins Kino. Ich gehe oft ...
2 Der Bus fährt **langsamer** als die Straßenbahn.
3 Am Wochenende gehe ich **nie** aus.
4 Meine Mutter steht sehr **spät** auf.
5 Asla kommt **am frühsten** um neun Uhr an.
6 Kannst du ein bisschen **leiser** sprechen?

ÜBUNG B   ● ●

Was machen diese jungen Leute gern? Was würden sie sagen? Schreib dann deine eigene Antwort auf die Frage.

Beispiel
Renate: Ich sehe gern fern, aber ich höre lieber Musik
          und am liebsten gehe ich aus.
Renate: ♥ fernsehen ♥♥ Musik hören
          ♥♥♥ ausgehen
Katrin: ♥ zeichnen ♥♥ Tennis spielen
          ♥♥♥ Bücher lesen
Asla: ♥ schwimmen ♥♥ fernsehen ♥♥♥ tanzen

What you need to know

1 What is a verb

Verbs are commonly described as 'doing words', though they include words like 'be', 'hope', 'have', and 'try', as well. They refer either to the past, the present or the future. Within each of these categories, there are sometimes different ways of talking about things. For example, in English you can say: 'I play tennis' or 'I'm playing tennis'. These are different tenses of the same verb 'to play'. You are talking about the present both times. Which tense you use will depend on exactly what you want to say.

In German, verbs are also about the past, the present or the future, but the actual tenses do not correspond one-to-one to those we have in English. The table below shows, in simplified form, how the English and German tenses match up:

Talking about ... (when?)	English tense	German tense	Name of German tense	See pages...
the present	I play	} *ich spiele*	present	34-47
	I am playing			
the past	I played	} *ich habe gespielt*	perfect	56-62
	I have played			
	I played	*ich spielte*	imperfect (mainly used in writing)	66-67
the future	I'm going to play	*ich spiele*	present (used to talk about the future)	54
	I will play	*ich werde spielen*	future	55

2 The infinitive

Every verb has a basic form, which is often the starting point from which the various different parts are made. This form is known as the 'infinitive', and if you look up any verb in a dictionary or wordlist, you will find it is given in its infinitive form. So, for example, if you look up 'runs' or 'ran', you will only find the infinitive form '(to) run'.

Thinking it through

Which tense do I use when speaking or writing in German?

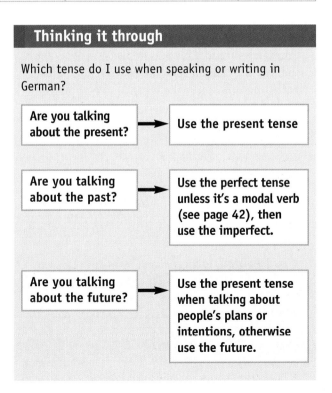

Are you talking about the present? → Use the present tense

Are you talking about the past? → Use the perfect tense unless it's a modal verb (see page 42), then use the imperfect.

Are you talking about the future? → Use the present tense when talking about people's plans or intentions, otherwise use the future.

Word order (1) – basic rules

What you need to know

1 Normal position of verbs

The main verb is always the second element in a German sentence. This does not necessarily mean that it is the second word. If you begin a sentence with anything other than the subject of the verb, therefore, the normal word order is inverted (turned round), to keep the verb in second place:

1	2 (verb)	3	4
Ich (subject)	fahre	nach Lübeck.	
Jede Woche	fahre	ich (subject)	nach Lübeck.
Am ersten	fahre	ich (subject)	nach Lübeck.

2 Words which don't affect word order

Five words count as invisible as far as word order is concerned:

und, oder, aber, denn and *sondern*:

	1	2 (verb)	3	4
Und	am zwanzigsten	fahre	ich	nach Lübeck.

3 Time, manner, place

Information about when, how or where something is happening is always given in this order in a German sentence. So whereas in English you can say: 'I go to Lübeck every week.', in German the time (every week) has to come before the place (to Lübeck):

	Time	Place
Ich fahre	jede Woche	nach Lübeck.

And if you add 'manner' (i.e. how?), this goes after 'time':

	Time	Manner	Place
Dü fährst	jede Woche	mit dem Zug	nach Lübeck.

What you need to know

4 Questions

In questions beginning with a word like *wie?*, *wo?* or *warum?*, the verb always comes in second place:

*Warum **fährst** du nach Lübeck?*
*Was **machen** wir am Sonntag?*

In any other sort of question the verb comes first:

1 (verb)	2	3
Kommst	*du*	*zur Party?*
Ist	*das*	*die richtige Treppe?*

ÜBUNG A

Schreib den Satz mit den Wörtern in Blau am Anfang auf.

Beispiel

1 Morgen machen wir ein Picknick im Grünewald.

1 Wir machen **morgen** ein Picknick im Grünewald.
2 Am ersten Mai haben **wir** keine Schule.
3 Es gibt keine Jugendherberge **in Detwold**.
4 Ich spiele **nächste Woche** vor zweihundert Leuten.
5 Mein Bruder macht **vielleicht** eine Reise nach Amerika.
6 Es gibt keine Wurstbude **vor dem Rathaus**.
7 Sie nehmen **dann** die erste Straße rechts.
8 Wir schenken Robert einen Computer **zu seinem achtzehnten Geburtstag**.

ÜBUNG B

Wie war die Frage?

Beispiel

1 Hat sie einen Wagen?

1 Nein, sie hat keinen Wagen.
2 Meine Tante wohnt in Köln.
3 Ja, sie arbeitet dort.
4 Sie kommt nächsten Samstag.
5 Nein, sie fliegt nicht.
6 Sie kommt mit dem Zug.
7 Nein, meine Tante ist nicht alt.
8 Weil sie nicht gern fliegt.

ÜBUNG C

Setz die Wörter in Klammern an die richtige Stelle.

Beispiel

1 Wir gehen morgen Abend in die Disco.

1 Wir gehen in die Disco. *(morgen Abend)*
2 Gibt Renate eine Party? *(wo)*
3 Ich mache Ende Juli Urlaub. *(in der Schweiz)*
4 Bruno repariert den Fußball in der Garage. *(mit einem Stück Kaugummi)*
5 Wartest du vor dem Bahnhof? *(warum)*
6 Wir gehen mit den anderen ins Kino. *(um halb acht)*

ÜBUNG D

Ordne die Elemente in jedem Satz.

Beispiel

1 Ich mache meine Hausaufgaben am Computer in der Schule.

1 `mache` `in der Schule` `meine Hausaufgaben` `ich` `am Computer`

2 `mit dem Bus` `du` `nächsten Samstag` `fährst` `?`

3 `wohnen` `im selben Haus` `meine Großeltern` `seit fünfzig Jahren`

4 `in den Jugendklub` `kommt` `mit seiner Freundin` `Emin` `immer` `?`

5 `isst` `vor dem Fernseher` `mein Vater` `jeden Abend` `sein Abendessen`

6 `heute Abend` `läuft` `was` `im Kino` `?`

7 `deine Schwester` `bringt` `in die Schule` `wer` `samstags` `?`

8 `mit dem Rad` `kommt` `in die Schule` `heute` `warum` `ihr` `?`

The present tense

What you need to know

1 The normal pattern

Almost all verbs follow the same pattern in the present tense. Take off the '-en' of the infinitive (e.g. *spielen* ➔ *spiel*) and add these endings:

*ich spiel**e***	*wir spiel**en***
*du spiel**st***	*ihr spiel**t***
*er/sie/es/man spiel**t***	*sie/Sie spiel**en***

Verbs whose infinitives end in '-ten', '-den' or '-nen' keep their 'e' before the '-t' and '-st' endings, to make them easier to pronounce:

*du arbeit**e**st*   *er find**e**t*   *es regn**e**t*

2 Verbs which change the main vowel

A number of common verbs whose main vowel is 'a' add an Umlaut to the 'a' in the second and third person singular (after *du* and *er/sie/es/man*). The changes in the third person are given here:

anfangen	➔	*f**ä**ngt an*	*laufen*	➔	*l**äu**ft*
einladen	➔	*l**ä**dt ein*	*schlafen*	➔	*schl**ä**ft*
fahren	➔	*f**ä**hrt*	*tragen*	➔	*tr**ä**gt*
fallen	➔	*f**ä**llt*	*verlassen*	➔	*verl**ä**sst*
halten	➔	*h**ä**lt*	*waschen*	➔	*w**ä**scht*
lassen	➔	*l**ä**sst*		

Another group of verbs whose main vowel is 'e' change to 'i' or 'ie' in the second and third person singular:

brechen	➔	*br**i**cht*	*sehen*	➔	*s**ie**ht*
essen	➔	***i**sst*	*sprechen*	➔	*spr**i**cht*
lesen	➔	*l**ie**st*	*treffen*	➔	*tr**i**fft*
nehmen	➔	*n**i**mmt*	*vergessen*	➔	*verg**i**sst*
helfen	➔	*h**i**lft*	*werfen*	➔	*w**i**rft*

3 Exceptions

For the present tense of *sein, haben, wissen, werden* and the modal verbs, see the verb table on pages 74-75.

ÜBUNG A

Schreib die richtige Form des Verbs auf.

1 *wohnen*

Petra	wohnt	jetzt im Süden.
Wo		du genau?
Ihr		nicht weit von meinem Onkel.

2 *laufen*

Jede Woche		ich 20 Kilometer.
Was		im Kino?
Warum		du immer barfuß?

3 *helfen*

Wer		mir mit den Koffern?
Die Kinder		ihrer Lehrerin.
Warum		ihr den anderen nicht?

ÜBUNG B

Schreib die Verben in ihren richtigen Formen auf.

Beispiel 1 sind

Hallo, Renate!

Nun **(1)** *(sein)* wir endlich in Spanien. Wir **(2)** *(haben)* eine kleine Ferienwohnung am Meer. Es **(3)** *(geben)* einen wunderschönen Strand und ich **(4)** *(sein)* den ganzen Tag im Bikini! Also **(5)** *(werden)* ich schön braun! Am Nachmittag **(6)** *(werden)* es so heiß, dass man keine Lust **(7)** *(haben)*, auszugehen. Man **(8)** *(schlafen)* dann eine Stunde im Schatten. Dann **(9)** *(gehen)* wir immer zum Strand und **(10)** *(bleiben)* meistens bis Sonnenuntergang da. Hier **(11)** *(essen)* man abends sehr spät und nach dem Abendessen **(12)** *(machen)* alle einen kleinen Spaziergang. Meine Mutter **(13)** *(sprechen)* ein bisschen Spanisch, aber mein Vater und ich **(14)** *(erklären)* alles mit den Händen! Leider **(15)** *(wissen)* ich nicht, was die Leute **(16)** *(sagen)*.

Und du – du **(17)** *(fahren)* bald nach Italien, oder? Hoffentlich **(18)** *(treffen)* du dort einen netten italienischen Jungen!

Grüße und Küsse,   Katrin

ÜBUNG C

Schreib die Sätze jeweils mit dem neuen Subjekt auf.

Beispiel
1 Wir wohnen gern in Bayern …

1 Ich wohne gern in Bayern. Im Winter wandere ich in den Bergen und im Sommer schwimme ich im See.

> Wir …   Mein Brieffreund … Er …

2 Meine Eltern arbeiten in der Stadtmitte. Sie verlassen das Haus um acht Uhr, fahren mit dem Bus bis zum Rathaus und dann gehen sie zu Fuß ins Büro.

> Meine Mutter … Sie …   Ich …

3 Sie nehmen die erste Straße rechts, dann kommen Sie in die Ludwigstraße und dort sehen Sie sofort den Dom.

> Du …   Man …

4 Sie sprechen so gut Englisch! Fahren Sie oft nach England oder treffen Sie dort, wo Sie wohnen, oft Engländer?

> Du …   Ihr …

ÜBUNG D — PRÜFUNGSTRAINING

In einem Brief stellt dir ein Brieffreund bzw. eine Brieffreundin folgende Fragen. Schreib eine Antwort darauf. Stell dabei ein paar andere Fragen über die Schule in Deutschland.

„Um wie viel Uhr verlässt du das Haus? Wie kommst du zur Schule? Tragt ihr eine Uniform? Wo isst du zu Mittag? Du und deine Freunde, was macht ihr nach der Schule? Wie viele Stunden Hausaufgaben machst du gewöhnlich?"

Beispiel
Ich verlasse das Haus gegen Viertel vor acht …

35

The present tense – separable verbs

What you need to know

Separable verbs consist of two parts:

1 a prefix (like *ab*, *aus* or *mit*)
2 a normal verb (like *holen*, *gehen*, or *fahren*).

These two parts are joined together in the infinitive:

ab*holen*   to collect, pick up
aus*gehen*   to go out
mit*fahren*   to go with

But as soon as you use them in any other form, the prefix separates and goes to the end of the sentence or the clause (a clause is a section of a sentence with its own verb):

*In fünf Minuten holt mich Katrins Mutter **ab**.*
*In diesen Klamotten gehst du nicht **aus**!*
*Du fährst nicht **mit**.*

How many other separable verbs can you find in the cartoon?

(Note that when used after conjunctions like *dass* and *wenn*, the two parts of a separable verb do join up again (see pages 48 and 49). They also join up in the perfect tense with -*ge*- between them – see pages 57 and 60.)

36

ÜBUNG A ● ●

Was passt zusammen?

Beispiel
1H Frau Müller holt Uschi von der Schule ab.

1	Frau Müller holt Uschi	**A**	mit einer Freundin aus.
2	Sie nehmen eine Freundin	**B**	ein bisschen fern.
3	Unterwegs kaufen sie	**C**	ihr Zimmer auf.
4	Sie kommen gegen drei Uhr	**D**	zu Hause an.
5	Zuerst räumt Uschi	**E**	ein bisschen Rad.
6	Dann sieht sie	**F**	von Uschi mit.
7	Später geht sie	**G**	einiges zum Essen ein.
8	Die Mädchen fahren	**H**	von der Schule ab.

ÜBUNG B ● ●

Ersetz das Verb in Rot mit dem Verb in Klammern.

Beispiel
1 Wir holen dich morgen ab.

1 Wir **sehen** dich morgen. *(abholen)*
2 Wir **kennen** die Sendung. *(ansehen)*
3 **Geht** ihr in den Jugendklub? *(mitkommen)*
4 Du **bist** müde. *(aussehen)*
5 Katrin **telefoniert** aus Italien. *(anrufen)*
6 Sonntags **frühstücke** ich um elf Uhr. *(aufstehen)*
7 Wann **beginnt** der Film? *(anfangen)*
8 Wo **ist** das Konzert morgen? *(stattfinden)*
9 Renate **bringt** mich zur Party. *(einladen)*

ÜBUNG C

Die Eltern von Thomas sind weg. Thomas muss folgende Dinge machen:

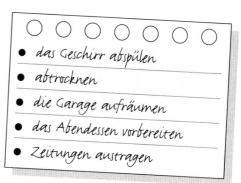

- das Geschirr abspülen
- abtrocknen
- die Garage aufräumen
- das Abendessen vorbereiten
- Zeitungen austragen

Was macht er?

Beispiel
Er spült das Geschirr ab.

Er soll folgende Dinge nicht machen, aber er macht sie trotzdem:

- spät aufwachen
- schmutzige Sachen anziehen
- stundenlang fernsehen
- Freunde einladen
- Geld für Bonbons ausgeben

Was macht er?

Beispiel
Er wacht spät auf.

ÜBUNG D

PRÜFUNGSTRAINING ● ● ●

Beantworte folgende Fragen von deinem Brieffreund bzw. deiner Brieffreundin.

„Wie oft gehst du aus? Kaufst du auch manchmal für die Familie ein? Ach ja, ich wollte dich auch fragen: Fährst du gern Ski? Und gehst du gern spazieren oder fährst du lieber Rad? Wie oft siehst du fern? Hast du Pläne für die nächsten Ferien? Und WANN RUFST DU MICH ENDLICH AN?"

Beispiel
Ich gehe öfters aus, und zwar ...

The present tense – reflexive verbs

What you need to know

Reflexive verbs are those which have an extra 'reflexive' pronoun in front of the verb – one that 'reflects back' on the person doing the action, for example: 'to enjoy yourself'.

I enjoy **myself**
you enjoy **yourself**, etc.

There are not many reflexive verbs in English, but in German they are much more common. In the infinitive the reflexive pronoun comes before the verb (e.g. **sich freuen**), but in the present tense it comes after it. As in English, the reflexive pronoun changes according to the subject of the verb:

ich freue **mich**	*wir freuen* **uns**
du freust **dich**	*ihr freut* **euch**
er/sie/es/man freut **sich**	*sie/Sie freuen* **sich**

Note the position of the reflexive pronoun when you invert the verb (turn it back to front):

*Freust du **dich** auf Weihnachten?*
*Freut ihr **euch** nicht auf die Sommerferien?*

Other common reflexive verbs are:

sich amüsieren	to enjoy yourself
sich beeilen	to hurry
sich erinnern (an)	to remember
sich fühlen	to feel
sich interessieren (für)	to be interested (in)
sich langweilen	to be/get bored
sich setzen	to sit down
sich sonnen	to sunbathe
sich verstehen (mit)	to get on (with a person)
sich waschen	to wash

ÜBUNG A

Was passt zusammen?

Beispiel

1B   Was ist los? Amüsierst du dich nicht?

1 Was ist los? Amüsierst du   **A** euch zu viel.
2 Ich fühle   **B** dich nicht?
3 Uschi fühlt   **C** uns nicht mehr als
                                        andere.
4 Du und Uschi sonnt   **D** mich nicht so gut.
5 Quatsch! Wir sonnen   **E** sich zu viel!
6 Aber alle sonnen   **F** sich auch nicht so gut.

ÜBUNG B

Ordne die Elemente in jedem Satz. Fang immer mit den Wörtern in Rot an.

Beispiel
1 Meine Eltern interessieren sich sehr für Musik.

1 | **Meine Eltern** | Musik | interessieren |
   | sehr | für | sich |

2 | **Renate** | mit | sich | ihrem | gut | versteht |
   | ganz | Bruder |

3 | **Heute Abend** | mich | müde | ich |
   | fühle | furchtbar |

4 | **Warum** | du | Englischstunden | den | so |
   | dich | in | langweilst | ? |

5 | **Erinnert** | ersten | ihr | an | Schultag |
   | euch | euren | ? |

ÜBUNG C

Füll die Lücken mit den richtigen Pronomen aus.

Katrin: Du, ich freue **(1)** <u>mich</u> so auf unsere Klassenfahrt!
Emin: Erinnerst du **(2)** ___ nicht an die letzte Klassenfahrt?
Katrin: Natürlich erinnere ich **(3)** ___ daran. Wieso?
Emin: Ja, du und Asla versteht **(4)** ___ gut mit Frau Schröder. Aber Thomas und ich, wir verstehen **(5)** ___ gar nicht mit ihr. Und dann das Programm: Ich langweile **(6)** ___ so in Museen!
Katrin: Das stimmt. Nicht viele Schüler interessieren **(7)** ___ für Museen. Nur Frau Schröder interessiert **(8)** ___ dafür. Aber abends amüsiert man **(9)** ___ gut, oder? Also freust du **(10)** ___ doch ein bisschen auf die Fahrt?
Emin: Ich freue **(11)** ___ mehr auf die Rückfahrt!

ÜBUNG D

Schreib die Verben in ihren richtigen Formen.

Beispiel
1 Wir **befinden uns** seit einer Woche ...

Hallo!

Wir **(1)** *(sich befinden)* seit einer Woche im Gebirge. Hier gibt es so viel zu tun – ich **(2)** *(sich langweilen)* nie! Morgens **(3)** *(sich waschen)* wir im Bach. Man **(4)** *(sich fühlen)* nachher so richtig frisch! Abends **(5)** *(sich setzen)* wir ums Feuer und singen Lieder. Alle **(6)** *(sich verstehen)* hier sehr gut miteinander. Ich **(7)** *(sich beeilen)*, dies fertig zu schreiben, denn jemand geht gleich zur Post. Ich **(8)** *(sich freuen)* darauf, dich wiederzusehen!

Steffi

ÜBUNG E   PRÜFUNGSTRAINING

Beantworte folgende Fragen von deinem Brieffreund bzw. deiner Brieffreundin.
Beispiel
Ich interessiere mich sehr für Popmusik ...

„Wofür interessierst du dich besonders? Amüsierst du dich gut in der Schule oder langweilst du dich in bestimmten Fächern? Versteht ihr euch alle gut in eurer Klasse? Freust du dich schon auf die Ferien?"

What you need to know

1 Forms of the imperative

Imperatives are the part of the verb you use when you tell someone to do something, e.g. 'Clean your shoes!', 'Go away'.

There are three ways of saying 'you' in German:
a *du* (for another young person or a relative)
b *ihr* (for two or more young people or relatives)
c *Sie* (for one or more adults).

There are therefore three different types of imperative, depending on which word for 'you' is being used:

a The *du* imperative is the *du* part of the verb minus its *-st* ending:

du kommst → *komm*
du bleibst → *bleib*

Verbs with an infinitive ening in *-den*, *-len*, *-nen* and *-ten* tend to keep a final *-e*:

finde   wähle   zeichne   warte

Verbs that have a vowel change in the *du* form, keep this in the imperative:

nehmen → *du nimmst* → *nimm*
sehen → *du siehst* → *sieh*

Verbs which add an Umlaut in the *du* form, do not keep it in the imperative:

schlafen → *du schläfst* → *schlaf*
fahren → *du fährst* → *fahr*

b The *ihr* imperative is simply the *ihr* part of the verb:

ihr kommt → *kommt*
ihr nehmt → *nehmt*
ihr schlaft → *schlaft*

c The *Sie* imperative is the *Sie* part of the verb turned back to front:

Sie kommen → *kommen Sie*
Sie nehmen → *nehmen Sie*
Sie schlafen → *schlafen Sie*

What you need to know

2 Imperatives of separable verbs

auf**stehen* → *steh **auf   *steht **auf***   *stehen Sie **auf***

The prefix of a separable verb goes, as usual, to the end of the clause:
*Räum dein Zimmer **auf**!*

3 Imperatives of reflexive verbs

These keep their reflexive pronouns in the imperative:

sich setzen → *setz **dich***   *setzt **euch***   *Setzen Sie **sich***

4 Exceptions

The only important exception to these rules is the verb *sein* (to be).
Its imperatives are:

sein → *sei*   *seid*   *seien Sie*

How many *du* imperatives are there in the cartoon? And how many *ihr* and *Sie* imperatives are there?

ÜBUNG A ⬤

Wähl die richtige Form des Imperativs.

Beispiel
1 „**Rennt** nicht im Museum!"

1 Ein Beamter zu einer Gruppe Schüler:
„**Renn/Rennt/Rennen Sie** nicht im Museum!"
2 Eine Schülerin zu ihrer Freundin:
„**Zeig/Zeigt/Zeigen Sie** mir den Brief."
3 Eine Dame zum Bäcker:
„**Gib/Gebt/Geben Sie** mir zwei Brötchen, bitte."
4 Eine Lehrerin zu ihrer Klasse:
„**Hör/Hört/Hören Sie** jetzt gut zu."
5 Ein Polizist zu einer Gruppe Touristen:
„**Geh/Geht/Gehen Sie** bitte weiter."
6 Ein Vater zu seinem Kind:
„**Sei/Seid/Seien Sie** ruhig."

ÜBUNG B ⬤⬤

Schreib alle drei Sätze mit dem richtigen Imperativ auf.

Beispiel
1 Gute Nacht, Bruno. Schlaf gut!
Gute Nacht, Frau Heimer. ...

1

Gute Nacht,	Bruno. Frau Heimer. Kinder.	(schlafen) gut!

2

Gute Reise,	Herr Brandt! Kirsten! ihr beide!	(vergessen) nicht die Fahrkarten!

3

Wir warten	auf dich auf euch auf Sie	im Hotel. (zurückkommen) nicht zu spät!

4

Ihr Boot Dein Boot Euer Boot	ist fertig.	(sich amüsieren) gut!

ÜBUNG C (PRÜFUNGSTRAINING) ⬤⬤⬤

Seit drei Tagen bist du mit deiner Schwester allein zu Hause. Plötzlich hörst du, dass deine Eltern schon heute Abend zurückkommen! Das Haus ist total unordentlich! Du bist aber am Tag nicht da. Schreib eine E-Mail an deine Schwester und sag ihr, was sie machen muss. (Benutz Imperative!)

Hier sind einige Ideen:

Beispiel
Mutti und Vati kommen heute Abend zurück! Mach schnell die Betten! ...

- die Betten machen
- Brot holen
- abspülen
- aufräumen
- reparieren
- saubermachen
- waschen
- putzen

41

Modal verbs

What you need to know

'Modal' is the name given to a group of special verbs: *können* ('to be able', 'can'), *müssen* ('to have to', 'must'), *sollen* ('to be meant to', 'ought to'), *wollen* ('to want') and *dürfen* ('to be allowed to').

The present tense of these verbs is given below. Notice that the first and third person singular (the *ich* and *er/sie/es* parts of the verb) are the same.

	können	*müssen*	*sollen*	*wollen*	*dürfen*
ich	kann	muss	soll	will	darf
du	kannst	musst	sollst	willst	darfst
er/sie/es	kann	muss	soll	will	darf
wir	können	müssen	sollen	wollen	dürfen
ihr	könnt	müsst	sollt	wollt	dürft
sie/Sie	können	müssen	sollen	wollen	dürfen

Notes:
- 'can' (asking for permission) – use *dürfen*.
- 'can' (meaning 'able to') – use *können*.
- *möchte* ('would like') behaves like a modal verb, linking to an infinitive at the end of the sentence.

Modal verbs are very often used together with another verb. This second verb stays in the infinitive and goes to the end of the sentence or clause:

*Du musst zur Schule **gehen**.*   *Ich will nichts mehr davon **hören**.*   *Ich möchte heute zu Hause **bleiben**.*

42

ÜBUNG A

Schreib die Sätze anders. Benutz das Verb ‚müssen'.

Beispiel
1 Du **musst** deine Hausaufgaben machen!

1 Mach deine Hausaufgaben!
2 Iss deine Kartoffeln!
3 Beantworte ihren Brief.
4 Hilf deinem Bruder.
5 Mach die Tür zu.
6 Nimm diese Tabletten.
7 Räum dein Zimmer auf!

Benutz nun das Verb ‚dürfen'.

Beispiel
8 Du **darfst** nicht zu viele Fragen stellen.

8 Stell nicht zu viele Fragen!
9 Vergiss deinen Pass nicht!
10 Geh nicht zu spät ins Bett!
11 Fahr nicht so schnell!
12 Gib nicht zu viel Geld aus!
13 Park nicht vor dem Bahnhof.
14 Lade Thomas nicht ein.

ÜBUNG B

Lies das Gespräch und füll die Lücken mit Modalverben aus.

Renate: Asla! Uschi! Wollt ihr heute Nachmittag Tennis spielen?
Asla: Nein danke. Ich habe zu viele Hausaufgaben auf.
Renate: Wann **(1)** m̲u̲s̲s̲t̲ du sie abgeben?
Asla: Ich **(2)** s___ sich morgen abgeben.
Renate: Ja, dann machen wir sie schnell heute Abend bei mir.
Asla: Geht auch nicht. Heute Abend **(3)** m___ ich babysitten.
Renate: Dann lädst du mich zu den Leuten ein. Kein Problem.
Asla: Das **(4)** d___ ich aber nicht.
Renate: Und du, Uschi? **(5)** W___ du nicht Tennis spielen?
Uschi: Ich **(6)** m___ schon, aber ich **(7)** d___ nicht. Vier Wochen lang kein Sport, wegen meiner Knie.
Renate: Ach, warum **(8)** m___ ihr so langweilig sein!

ÜBUNG C

Erklär jedes Schild in einem Satz.

Beispiel
1 Man darf nicht rauchen.

ÜBUNG D   PRÜFUNGSTRAINING

Beantworte folgende Fragen von deinem Brieffreund bzw. deiner Brieffreundin.

„Was musst du machen, um zu Hause zu helfen? Wann sollst du deine Hausaufgaben machen? Darfst du zu jeder Zeit Freunde einladen? Was darfst du zu Hause nicht machen? Darfst du ausgehen, wenn du willst? Was kann man dort machen, wo du wohnst? Und in der Gegend?"

Beispiel
Ich muss in der Küche helfen.

Impersonal verbs

What you need to know

There are a number of common expressions which use a verb in the third person together with a dative pronoun. These are called 'impersonal' verbs, not because they refer to things that are not personal, but because you can't use the usual personal pronouns (*ich, du, wir,* etc.) with them.

***Mir** ist warm.*	I'm warm.
***Uns** ist kalt.*	We're cold.
*Wie geht es **dir/euch/Ihnen**?*	How are you?
***Mir** geht es gut.*	I'm well.
*Es tut **mir** Leid.*	I'm sorry.
Gefällt es **dir/euch/Ihnen**?*	Do you like it?
Ja, es gefällt **mir** gut.*	Yes, I like it.
Schmeckt es **dir**?*	Do you like it? (talking about food)
Es gehört **ihm**.*	It belongs to him.

The verbs *gefallen, gehören* and *schmecken* can be used in the plural too:

*Die Farben **gefallen** mir gut.*
*Die Bücher **gehören** uns nicht.*
*Die Kekse **schmecken** mir nicht.*

There are two more impersonal verbs in the cartoon. What do they mean?

* Where the word for 'it' is referring to a masculine or feminine noun, the German will be *er* or *sie*, rather than *es*. **Can you find an example of this in the cartoon?**

Instead of a pronoun, any of these expressions can equally well be used with a noun. This, too, must be in the dative:

Sie gehört unserem Vater.
Wie geht es deiner Mutter?

See page 22 for a reminder of all the dative pronouns.

44

ÜBUNG A ● ●

Füll die Lücken im Gespräch mit den Wörtern unten aus.

Bruno: Hallo! Wie geht's dir?
Peter: Danke, mir **(1)** <u>geht's</u> gut. He! Gefällt **(2)** ___ das Mofa?
Bruno: Wieso? Gehört **(3)** ___ dir?
Peter: Natürlich! Also, **(4)** ___ es dir oder nicht?
Bruno: Ehrlich gesagt, nicht sehr. Es **(5)** ___ mir Leid.
Peter: Tja, **(6)** ___ gefällt es gut.

> tut   es   geht's   gefällt   mir   dir

ÜBUNG B ● ●

Ersetz die Wörter in Grün mit Pronomen.

Beispiel
1 **Er** gefällt **ihr** nicht.

1 **Der Wagen** gefällt **meiner Mutter** nicht.
2 Wie geht es **deinen Eltern**?
3 Schmeckt es **dir und deiner Schwester**?
4 **Meiner Freundin** ist kalt.
5 **Die CDs** gehören **meinem Bruder**.
6 **Der Kuchen** schmeckt **den Kindern** gut.
7 **Diese Farbe** steht **Frau Wendel** nicht.
8 **Der Junge** gefällt **mir und meiner Freundin**.
9 Es tut **meinem Vater** Leid.

ÜBUNG C ● ●

Was gehört wem?

Beispiel
1 Die Tasche gehört dem Lehrer.

1 Der Lehrer hat eine Tasche.
2 Die Lehrerin hat einen Fotoapparat.
3 Das Mädchen hat ein Walkman.
4 Die Kinder haben Skateboards.
5 Der alte Mann hat einen Regenschirm.
6 Das junge Paar hat Postkarten.

ÜBUNG D ● ● ●

Schreib die Sätze anders. Benutz das Verb in Klammern.

Beispiel
1 Die Brille gehört meinem Vater.

1 Das ist die Brille von meinem Vater. *(gehören)*
2 Das ist das Motorrad von meinem Bruder. *(gehören)*
3 Er findet die Jacke toll. *(gefallen)*
4 Das sind nicht meine Schlüssel. *(gehören)*
5 Wie findet ihr die Jugendherberge? *(gefallen)*
6 Meine Mutter hat meine neuen Freunde nicht gern. *(gefallen)*
7 Wie findest du die Wurst? *(schmecken)*

ÜBUNG E [PRÜFUNGSTRAINING ● ● ●]

Beantworte folgende Fragen von deinem Brieffreund bzw. deiner Brieffreundin.

„Wie geht es den ganzen Leuten, die ich bei dir kenne – deinen Eltern, deinen Freunden, usw.? Und dir? Geht es dir jetzt besser? Gefällt dir das Foto, das ich dir geschickt habe? Danke auch für deine Fotos! Wem gehört der Hund im Bild?"

Beispiel
Meiner Mutter geht es gut ...

45

The present tense – all forms

ÜBUNG A

Was passt zusammen?

Beispiel

1C Geht ihr gern spazieren?

1	Geht	**A**	möchten spazieren gehen.
2	Ich gehe	**B**	ihr heute spazieren gehen?
3	Ich	**C**	ihr gern spazieren?
4	Gehst	**D**	du heute spazieren gehen?
5	Gehen	**E**	gern spazieren.
6	Wir	**F**	du gern spazieren?
7	Willst	**G**	möchte spazieren gehen.
8	Wollt	**H**	Sie gern spazieren?

ÜBUNG B

Schreib die Sätze jeweils mit dem neuen Subjekt auf.

Beispiel

1 Ihr habt Glück! ...

1 Du hast Glück! Du bekommst immer gute Noten und verstehst dich so gut mit den Lehrern.

Ihr ...	Oliver ...

2 Katrin und Uschi wollen ins Ausland fahren, aber sie müssen zuerst Geld verdienen. Also suchen sie einen Ferienjob.

Ich ...	Emin ...

3 Ich interessiere mich sehr für Musik. Darf ich das Lied hören?

Wir ...	Meine Freundin ...

4 Wir fahren zuerst mit dem Bus, dann nehmen wir die Straßenbahn und zuletzt fahren wir mit der U-Bahn.

Man ...	Du ...

ÜBUNG C

Was machen die Leute im Bild?

Beispiel
Eine Dame schreibt einen Brief.

ÜBUNG D

Füll die Lücken im Gespräch aus.

Oliver: Wie **(1)** *(heißen)* _heißt_ das Dorf?
(2) *(sich erinnern)* ___ du ___ ?
Bruno: Ich **(3)** *(wissen)* ___ nicht.
Oliver: **(4)** *(zeigen)* ___ mir die Karte. Wo **(5)** *(sein)*
___wir? Ich **(6)** *(finden)* ___den Fußweg nicht.
Bruno: Ja, **(7)** *(sehen)* ___ du das Dorf da drüben? Das
(8) *(müssen)* ___ Neukirchen **(9)** *(sein)* ___.
Oliver: Es **(10)** *(können)* ___ nicht Neukirchen
(11) *(sein)* ___. Es **(12)** *(geben)* ___ doch keine
Kirche! **(13)** *(halten)* ___ die Karte einen
Augenblick. Ich **(14)** *(holen)* ___ den Kompass
heraus.
Bruno: **(15)** *(sich beeilen)* ___ ___ ! Es **(16)** *(werden)*
___ schon dunkel. Ich **(17)** *(wollen)* ___ nicht
die ganze Nacht im Freien **(18)** *(bleiben)* ___ !
Oliver: Hm, dort **(19)** *(liegen)* ___ also Süden. Wenn
man diesen Fußweg **(20)** *(nehmen)* ___,
(21) *(sollen)* ___ man an eine Straße **(22)**
(kommen) ___. Nein, **(23)** *(warten)* ___ mal ...

Bruno: **(24)** *(hören)* ___ mal! Am besten **(25)** *(gehen)*
___ wir einfach hier weiter. Hoffentlich
(26) *(treffen)* ___ wir jemanden. Sonst
(27) *(finden)* ___ wir die Jugendherberge nie!

ÜBUNG E   PRÜFUNGSTRAINING

*Beantworte folgende Fragen von deinem Brieffreund bzw.
deiner Brieffreundin.*

„Hast du eine Lieblingssendung im Fernsehen?
Wie lange siehst du jeden Tag fern? Sehen alle
bei dir zusammen fern oder habt ihr mehrere
Fernseher im Haus? Darfst du so lange
fernsehen, wie du willst? Du und deine Freunde,
was macht ihr sonst abends?"

Beispiel
Ja, ich habe eine Lieblingssendung im Fernsehen ...

Conjunctions

What you need to know

1 Conjunctions which don't affect word order

Conjunctions are words that are used to link one clause (part of a sentence) to another. In German the conjunctions *und, aber, denn, oder* and *sondern* make no difference to the word order:

Das ist dir auch egal. Du tanzt trotzdem.
Das ist dir auch egal, **denn** *du tanzt trotzdem.*

2 Conjunctions which do affect word order

All the other common conjunctions cause a major change in the normal word order, sending the verb right to the end of the clause, e.g.:

Normal order: *du* **hast** *einen Pickel auf der Nase.*
After *weil*:   **weil** *du einen Pickel auf der Nase* **hast**.

Among the conjunctions that do this are:

als	when (talking about the past)		
bevor	before	*bis*	until
damit	so that	*dass*	that
nachdem	after	*ob*	whether
obwohl	although	*während*	while
weil	because	*wenn*	when/if

3 Separable verbs after a conjunction

After a conjunction, the two parts of a separable verb join up again at the end of a clause:

Normal word order: *sie* **sehen** *furchtbar* **aus**.
After *obwohl*:   **obwohl** *sie furchtbar* **aussehen**.

4 Modal verbs after a conjunction

After a conjunction, the modal verb goes at the end of the clause **after the infinitive**:

Normal word order with modal:	**modal**		**infinitive**
du	*willst*	*es nicht*	*hören.*

After *dass*:		**infinitive**	**modal**
dass du es nicht		*hören*	*willst.*

What you need to know

5 Beginning a sentence with a conjuction

Wenn wir zusammen in die Stadt | Verb *gehen,* | Verb *trägst* | *du immer diese alten Jeans.*

Here, as far as word order is concerned, the *wenn* clause is considered as the first element in the sentence, so the main verb comes immediately after it in second place.

ÜBUNG A ● ● ●

Schreib den Satz jeweils mit dem neuen Anfang auf.

Beispiel

1 Susi ist froh, weil sie jetzt in der Mannschaft spielt.

1 Sie spielt jetzt in der Mannschaft.

> Susi ist froh, weil …
> Stimmt es, dass …?

2 Meine Brieffreundin kommt morgen an.

> Ich muss das Zimmer aufräumen, bevor …
> Ich bin nicht sicher, ob …

3 Du kannst zur Party kommen.

> Sag mir, wenn …
> Mach deine Arbeit fertig und …

4 Wir langweilen uns im Zug nicht.

> Es ist eine lange Reise, aber …
> Wir nehmen ein Kartenspiel mit, damit …

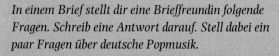

ÜBUNG B **PRÜFUNGSTRAINING** ● ● ●

In einem Brief stellt dir eine Brieffreundin folgende Fragen. Schreib eine Antwort darauf. Stell dabei ein paar Fragen über deutsche Popmusik.

„Warum kommen so viele gute Popmusiker aus Großbritannien? Stimmt es, dass dort viele junge Leute Instrumente spielen? Glaubst du, dass du dieses Jahr nach Deutschland fahren kannst? Wenn nein, warum nicht?"

Beispiel Viele gute Popmusiker kommen aus Großbritannien, weil …

ÜBUNG C ● ●

Lies das Gespräch. Vervollständige dann die Sätze unten.

Beispiel

1 Thomas will nicht ins Kino gehen, weil es zu teuer ist.

Emin: Gehen wir ins Kino?
Thomas: Nein, es ist zu teuer.
Emin: Spielen wir dann Fußball?
Thomas: Nein, das Wetter ist zu kalt.
Emin: Ist Oliver zu Hause?
Thomas: Ich weiß nicht.
Emin: Und Axel?
Thomas: Ich glaube schon.
Emin: Gehen wir also zu Axel?
Thomas: Nein. Er wohnt zu weit weg.
Emin: Wir können den Bus nehmen.
Thomas: Nein. Ich habe kein Geld.
Emin: Dann sehen wir fern.
Thomas: Das ist aber so langweilig!
Emin: OK. Wir können Monopoly spielen.
Thomas: Du spinnst! Das dauert viel zu lange!
Emin: Ja, dann hören wir einfach Musik.
Thomas: Ach, ich will nicht immer dieselben CDs hören.
Emin: Gehen wir ein bisschen spazieren.
Thomas: Nein, man braucht bessere Schuhe dafür.
Emin: Tja, also, bis morgen.

1 Thomas will nicht ins Kino gehen, weil …
2 Er will nicht Fußball spielen, weil …
3 Er weiß nicht, ob …
4 Er glaubt, dass …
5 Er will nicht zu Axel gehen, weil …
6 Er will nicht den Bus nehmen, denn*.....
7 Er will nicht fernsehen, weil …
8 Er denkt, dass Monopoly.......
9 Er will auch keine Musik hören, weil er …
10 Und man braucht bessere Schuhe, wenn man …

* Vorsicht!

49

What you need to know

Um etwas *zu* machen means 'in order to do something'. The infinitive, with *zu*, goes at the end of the phrase:
um wirklich glücklich **zu** sein   in order to be really happy

But quite often in English we just say 'to' rather than 'in order to', e.g. 'to become rich and famous'. If the word 'to' can be replaced by the phrase 'in order to', then in German you **must** use the construction *um ... zu* + infinitive.

With separable verbs, the *zu* comes between the two parts of the infinitive: *um meine Freundin ab**zu**holen.*

ÜBUNG A

Schreib diese Sätze mit ,um ...zu' auf.

Beispiel

1   Du brauchst mehr Geld, **um** ein Motorrad **zu** kaufen.

1   Du willst ein Motorrad kaufen? Dann brauchst du mehr Geld.
       Du brauchst mehr Geld, um ...

2   Ihr wollt das Spiel gewinnen? Dann müsst ihr besser spielen.
       Ihr müsst besser spielen, um ...

3   Ich brauche ein Wörterbuch. Ich will diese Übung machen.
       Ich brauche ein Wörterbuch, um ...

4   Wenn er berühmt werden will, muss er zuerst eine CD machen.
       Er muss zuerst eine CD machen, um ...

5   Wir müssen bald abfahren. Dann kommen wir rechtzeitig in Dortmund an.

6   Sie wollen in diesen Klub kommen? Dann müssen Sie einen Ausweis haben.

7   Sie sehen die Karte an, denn sie planen ihre Reise.

What you need to know

Modal verbs like *wollen* and *müssen* are often used together with another verb. This second verb stays in the infinitive and automatically goes to the end of the clause. Certain other verbs and expressions also work this way, except that they need the word *zu* before the infinitive:

*Ich habe keine Lust, es **zu** tun.*
*Versuch mal, ein bisschen Wasser **zu** trinken.*

Amongst the commonest verbs which do this are:

anfangen	to start	*helfen*	to help
beginnen	to begin	*vergessen*	to forget
beschließen	to decide	*versuchen*	to try
brauchen	to need		

What other expressions are there in the cartoon which are followed by *zu* + an infinitive?

Remember that with separable verbs, the *zu* comes between the two parts of the infinitive: *mit**zu**nehmen.*

ÜBUNG A ● ●

Ersetz das Verb in Blau mit den Wörtern in Klammern.

Beispiel
1 Hast du Lust, etwas zu trinken?

1 **Willst du** etwas trinken? *(Hast du Lust, …)*
2 **Ich will nicht** ins Café gehen. *(Ich habe keine Lust, …)*
3 **Wir wollen** ein Theaterstück schreiben. *(Wir versuchen, …)*
4 **Du musst** Renate anrufen. *(Vergiss nicht, …)*
5 **Man muss** nicht immer Deutsch sprechen. *(Man braucht …)*
6 **Ich will nicht** auf seinem Motorrad fahren. *(Ich habe Angst, …)*
7 **Ich möchte gern** ins Ausland fahren. *(Es macht Spaß, …)*
8 **Sie will** die Wohnung aufräumen. *(Sie fängt an, …)*
9 **Du musst** den Brief schreiben. *(Ich helfe dir, …)*
10 **Ich könnt** den Weg finden. *(Es ist leicht, …)*

Word order (2) – word order in the present tense

What you need to know

For basic word order rules see pages 32 and 33.

1 Position of the verb
Remember that the verb goes in second place except:

a in a question that doesn't begin with a question word;

b in an imperative (see page 40);

c after a conjunction that sends the verb to the end of the clause (see page 48);

d after a relative pronoun that sends the verb to the end of the clause (see page 70).

2 Negatives
To make a verb negative use *nicht*.
*Das ist **nicht** mein Hund.*
*Er kann heute **nicht** mitkommen.*

But remember that to say 'not a' or 'not any', you must use *kein* (see page 8):
*Ich habe **keine** Geschwister.*

3 Constructions with the infinitive

a after a modal verb:
*Ich **muss** nach Hause fahren.*

b after a verb or phrase that takes *zu*:
***Ich habe keine Lust**, nach Hause **zu** fahren.*

c using the construction *um ... zu*, meaning 'in order to': *Ich muss den Bus nehmen, **um** nach Hause **zu** fahren.*

The infinitive always goes at the end of the clause except when a conjunction like *weil, wenn, dass*, etc. has sent another verb to the end:

*Ich kann nicht bleiben, **weil** ich nach Hause fahren **muss**.*

ÜBUNG A ● ● ●

Look carefully at these ten variations on the phrase: 'Du gehst heute ins Kino', then try to answer the questions about them.

a Du gehst heute ins Kino.
b Heute gehst du ins Kino.
c Gehst du heute ins Kino?
d Warum gehst du heute ins Kino?
e Du willst heute ins Kino gehen.
f Willst du heute ins Kino gehen?
g Du brauchst Geld, um heute ins Kino zu gehen.
h Hast du Lust, heute ins Kino zu gehen?
i Wenn du heute ins Kino gehst, komme ich mit.
j Wenn du heute ins Kino gehen willst, komme ich mit.

1 In which sentences does the verb take first place? What do these sentences have in common?

2 In which sentences is *gehst* not the main verb? What is the main verb in these sentences?

3 In how many sentences is the word for 'go' in the infinitive? Which are they?

4 Which sentences contain a modal verb? What is it?

5 Explain the position of the words *gehst* in **i**, and *willst* in **j**.

6 Why is there the word *zu* in **g** & **h**?

ÜBUNG B ● ● ●

Sieh dir die zehn Variationen bei Übung A an und schreib folgende Sätze mit denselben zehn Variationen.

1 **a** Du spielst morgen Badminton.
b Morgen spielst du Badminton.
c ...

2 **a** Du fährst am Freitag ab. *(separable verb)*
b Am Freitag fährst du ab.
c ...

ÜBUNG C ● ●

'Nicht' oder 'kein'? Füll die Lücken aus.

1 Ich verstehe das <u>nicht</u>.
2 Du darfst _____ ausgehen!
3 Er hat _____ Glück — sie ist _____ da.
4 Wir haben _____ Karten mehr.
5 Sie mag _____ Fleisch.
6 Nächsten Montag gehe ich _____ zur Schule.
7 Nächsten Montag haben wir _____ Schule.

ÜBUNG D ● ● ●

Schreib den Satz jeweils mit dem neuen Anfang auf.

Beispiel
1 Seit September wohnt Sabine bei ihrer Mutter.

1 Sabine wohnt bei ihrer Mutter.

| Seit September ... | Ich glaube, dass ... |

| Wenn sie in Hannover ist, ... |

2 Der Brief kommt an.

| Zwei Tage später ... | Ruf mich an, wenn ... |

| Wann ...? |

3 Du machst ein Sandwich.

| Schau in den Kühlschrank, bevor ... | Für wen ...? |

| Während ich die Tasche suche, ... |

ÜBUNG E ● ● ●

Vervollständige die Sätze mit dem Ausdruck in Klammern.

Beispiel
1 Wir gehen ins Sportzentrum, um Tennis zu spielen.

1 *(Tennis spielen)*

| Wir gehen ins Sportzentrum, um ... |

| Willst du irgendwann ...? | Es macht Spaß, ... |

2 *(die Stadtrundfahrt machen)*

| Habt ihr Lust, ...? |

| Um wie viel Uhr soll man ...? |

| Man braucht mehr Zeit, um ... |

3 *(neue Leute kennenlernen)*

| Es ist nett, ... | Im Sportverein kannst du ... |

| Ich gehe in den Jugendklub, um ... |

ÜBUNG F ● ●

Lies Sabines Brief und vervollständige dann die Sätze unten.

> Lieber Lutz,
>
> Ich habe etwas Wichtiges zu sagen. Deshalb schreibe ich dir diesen Brief. Ich gehe nicht mehr mit dir aus. Ich kann einfach nicht. Es ist schade, ich weiß. Warum klappt es nicht mehr? Na ja, du interessierst dich nicht für dieselben Dinge wie ich. Beispiel: Ich will ins Kino gehen – du willst mit deinen Freunden Fußball spielen. Oder jemand ruft an und lädt uns zu einer Party ein. Du willst nicht hingehen – es gibt ein Fußballspiel im Fernsehen. Also treffe ich dich nicht mehr. Das beschließe ich. Du kannst mich nicht überreden. Versuch es auch nicht. Ruf mich bitte auch nicht an. Es hat keinen Zweck. Verstehst du? Ich hoffe doch.   Sabine

1 Ich schreibe dir diesen Brief, um etwas Wichtiges zu sagen.
2 Ich kann einfach nicht mehr ...
3 Ich weiß, dass ...
4 Es klappt nicht mehr, weil du ...
5 Du willst Fußball spielen, wenn ich ...
6 Jemand ruft an, um ...
7 Du willst aber nicht, weil ...
8 Ich habe beschlossen, dich ...
9 Versuch nicht einmal, ...
10 Es hat keinen Zweck, mich ...
11 Ich hoffe, dass ...

ÜBUNG G   PRÜFUNGSTRAINING ● ● ●

Beantworte folgende Fragen von deinem Brieffreund bzw. deiner Brieffreundin.

„Wie ist Weihnachten bei euch? Was esst ihr? Gehst du in die Kirche? Wann fangt ihr an, das Haus zu schmücken und Geschenke zu kaufen? Und wann dürft ihr eure Geschenke aufmachen? Sag mir, was deine Lieblingsferien sind und warum."

Beispiel   Bei uns ist Weihnachten wirklich toll ...

Present for future

What you need to know

In English we sometimes use a form of the present tense to talk about the future:
'I'm working at the shop in the holidays' (meaning 'I will be working ...').

In German there is a future tense (see page 55), but most of the time the present tense is used to talk about the future:
Kommst du morgen mit?
Are you going to come with us tomorrow?
Wir denken an dich beim Zahnarzt.
We'll think of you (or 'We will be thinking of you ...')

ÜBUNG A

Schreib die Antworten von Thomas auf die Fragen seiner Mutter auf.

1 Hast du dein Bett gemacht?
   Nein. Ich mache mein Bett später.
2 Hast du die Milch gekauft?
3 Hast du deine Bücher aufgeräumt?
4 Hast du ein Bad genommen?
5 Hast du den Brief von Erika beantwortet?
6 Hast du Oliver angerufen?
7 Hast du deine Schuhe geputzt?

ÜBUNG B

Du machst bald eine Klassenfahrt für eine Woche. Dein Brieffreund bzw. deine Brieffreundin stellt dir folgende Fragen:

„Wann fahrt ihr weg und wohin? Was macht ihr jeden Tag? Müsst ihr auch in die Schule gehen? An welchem Tag kommt ihr zurück?"

PRÜFUNGSTRAINING

Hier sind einige Ideen:

Stadtrundfahrt	Fahrt nach Bayreuth
Picknick am Fluss	Fußballspiel
Ausflug nach Heimsee	nachmittags frei

Beispiel Wir fahren nächsten Samstag weg ...

What you need to know

The real future tense is used far less in German than it is in English (see page 54). It consists of the verb *werden* plus an infinitive, which goes at the end of the clause. In other words, it works just like a modal verb:
*Ich **werde** auch deine Deutschhausaufgaben **machen**.*

ich werde	wir werden
du wirst	ihr werdet
er/sie/es/man wird	sie/Sie werden

ÜBUNG B · PRÜFUNGSTRAINING ● ●

Dein(e) Brieffreund(in) hat dir folgende Fragen gestellt. Schreib Antworten darauf.

„Was wirst du wohl in zehn Jahren machen? Wo wirst du wohnen? Und warum? Wirst du eine Familie haben? Wie wird dein Haus aussehen? Wirst du reich sein? Was wirst du alles machen? Und ich? Werden wir wohl in Kontakt bleiben?"

Beispiel
In zehn Jahren werde ich in Amerika arbeiten ...

ÜBUNG A ● ●

Schreib den Text im Futur auf.

Beispiel
Nächstes Jahr werden wir in Italien Urlaub machen.

> Nächstes Jahr machen wir in Italien Urlaub.
> Zuerst verbringen wir eine Woche in den Bergen.
> Hoffentlich gibt es andere junge Leute im Gasthaus, sonst ist es abends ein bisschen langweilig! Dann bekommst du von mir bestimmt viele Postkarten! Danach fahren wir an die Küste. Dort sonne ich mich stundenlang am Strand. Vielleicht machen wir auch ein paar Ausflüge, aber meistens bleiben wir am Meer. Ich komme also ganz braun wieder nach Hause!

What you need to know

1 Meaning

In English we use two main tenses (or forms of the verb) to talk about things that have happened in the past. You can say:

I played *or* I have played.

In German the same tense is used for both of these. It is called the 'perfect tense'.

2 Formation

The perfect tense is made up of two parts: firstly, part of the verb *haben* (to have) or the verb *sein* ('to be' – see page 60); and secondly a past participle, such as 'played', 'done', etc. Here is the perfect tense of the verb *spielen*:

ich habe gespielt	*wir haben gespielt*
du hast gespielt	*ihr habt gespielt*
er/sie/es/man hat gespielt	*sie/Sie haben gespielt*

The first part is the present tense of the verb *haben*, which changes according to the person (*ich, du, er,* etc.). The second part is called the 'past participle', and this stays the same regardless of which person you are talking about.

Regular verbs form their past participles as follows: precede the verb by *ge-* and replace the *-en* ending with a *-t*:

spielen	→	**ge***spiel***t**
machen	→	**ge***mach***t**

Verbs which begin with *be-*, *er-* and *ver-*, or which end in *-ieren*, do not have the extra *ge-* in their past participles (this is just so they are easier to pronounce):

bestellen	→	*ich habe* **bestellt**
erklären	→	*er hat* **erklärt**
versuchen	→	*wir haben* **versucht**
telefonieren	→	*sie hat* **telefoniert**

Can you find the two other verbs of this sort in the cartoon?

What you need to know

3 Perfect tense of separable verbs
Past participles of separable verbs have the *-ge-* between the two parts:

aufmachen	→	*auf**ge**macht*
einkaufen	→	*ein**ge**kauft*

4 Position of the past participle
The past participle (*gespielt, gemacht,* etc.) always goes at the end of the clause:
*Ich habe einen schrecklichen Fehler **gemacht**!*
*Ihr habt noch nicht alles **gehört**.*

ÜBUNG A

Die kleine Schwester von Thomas langweilt sich. Wie reagiert sie auf seine Vorschläge?

Beispiel
1 Ich habe schon ein Puzzle gemacht!

1 Mach ein Puzzle.
2 Spiel mit deinen Puppen.
3 Zeichne ein Bild.
4 Zahl deine Briefmarken.
5 Lern dein Einmaleins.
6 Hör dir eine Geschichte an!
7 Probier dein neues CDRom.
8 Räum deine Spielsachen auf.
9 Schau dir ein Video an.

ÜBUNG D   PRÜFUNGSTRAINING ●●●

Beantworte folgende Fragen von deinem Brieffreund bzw. deiner Brieffreundin.

„Was hast du an deinem Geburtstag gemacht? Hast du mit Freunden gefeiert? Was hat man dir geschenkt? Wie viele Karten hat man dir geschickt?"

Beispiel
An meinem Geburtstag habe ich ...

ÜBUNG B ●●

Füll die Lücken aus.

Gestern **(1)** *(arbeiten)* <u>habe</u> ich den ganzen Tag nicht <u>gearbeitet</u>. Ich **(2)** *(versuchen)* ___ es ___, aber meine Freunde **(3)** *(stören)* ___ mich alle ___. Zuerst **(4)** *(fragen)* ___ Bruno mich über Erdkunde ___. Ich **(5)** *(erklären)* ___ ihm die Arbeit ___. Dann **(6)** *(zeigen)* ___ er mir sein neues Computerspiel ___. Er **(7)** *(kaufen)* ___ es am Wochenende ___. Danach **(8)** *(telefonieren)* ___ ich eine Viertelstunde mit Katrin ___. Fünf Minuten später **(9)** *(klopfen)* ___ Axel und Lutz an die Tür ___. Ich **(10)** *(sagen)* ___ ihnen ___, dass ich Hausaufgaben auf hatte, aber sie **(11)** *(setzen)* ___ sich aufs Sofa ___ und wir **(12)** *(schauen)* ___ zusammen Fernsehen ___. Danach **(13)** *(spielen)* ___ wir Karten ___. Das **(14)** *(dauern)* ___ bis fünf Uhr ___. Am Ende des Nachmittags **(15)** *(besuchen)* ___ du mich dann ___. Natürlich **(16)** *(machen)* ___ ich keine Hausaufgaben ___!

ÜBUNG C ●●

Ein Filmstar beschreibt seine Freizeit. Setz die Verben ins Perfekt.

Beispiel
Am Wochenende **haben** wir nichts Besonderes **gemacht**.

Am Wochenende machen wir nichts Besonderes. Wir besuchen Freunde in Hollywood und wir kaufen ein bisschen ein. Claudia probiert ein paar Kleider an. Ich schenke ihr Schmuck. Im Büro beantwortet meine Sekretärin Briefe von meinen Fans. Am Nachmittag studiere ich neben dem Swimmingpool meine neue Rolle. Am Abend reservieren wir einen Tisch in meinem Lieblingsrestaurant. Ich bestelle Sekt und Manuel kocht mir ein Abendessen. Vor dem Restaurant fotografiert man mich. Ich sage nichts. Dann beeilen wir uns schnell nach Hause und schauen einen meiner alten Filme an.

What you need to know

Many of the commonest verbs, unfortunately, are irregular. They do form their perfect tense in the normal way with part of *haben* plus a past participle at the end of the clause, but their past participles do not follow the rules, e.g.:

*Ich **habe** deinen Mantel nicht **gesehen**!*

You need to learn each one of them by heart, though many follow similar patterns:

Infinitive	Past participle	
beginnen	begonnen	
beschließen	beschlossen	
gewinnen	gewonnen	
helfen	geholfen	vowel change to 'o'
nehmen	genommen	
sprechen	gesprochen	
treffen	getroffen	
verlieren	verloren	
finden	gefunden	
singen	gesungen	vowel change to 'u'
trinken	getrunken	

anfangen	angefangen	
anrufen	angerufen	
bekommen	bekommen	
einladen	eingeladen	
essen	gegessen	
geben	gegeben	
gefallen	gefallen	
lassen	gelassen	
lesen	gelesen	no change in vowel
schlafen	geschlafen	
sehen	gesehen	
tragen	getragen	
vergessen	vergessen	
verlassen	verlassen	
waschen	gewaschen	
schreiben	geschrieben	
sitzen	gesessen	
stehen	gestanden	various vowel changes
tun	getan	
verstehen	verstanden	

What you need to know

All the past participles on page 58 end in *-en*. But a few irregular verbs have past participles that end in *-t*:

bringen	*gebracht*
denken	*gedacht*
haben	*gehabt*
verbringen	*verbracht*

*As usual, conjunctions like *weil* or *dass* and relative pronouns send the part of *haben* to the end of the clause, after the past participle:
*Es gibt immer Krach, **weil** du etwas verloren **hast**!*

For more information about irregular verbs, see pages 74-75 .

ÜBUNG A

Beantworte die Fragen.

Beispiel
1 Er hat den Film schon gesehen.

1 Möchte er den Film sehen?
2 Möchtest du Katrin einladen?
3 Möchten sie ein Bad nehmen?
4 Möchtet ihr den Direktor treffen?
5 Möchte sie ein Glas Bier trinken?
6 Möchtest du dieses Buch lesen?
7 Möchten Sie zu Hause anrufen?
8 Möchte er einen Freund mitbringen?

ÜBUNG B

Setz die Verben ins Perfekt.

Beispiel
Ein Schüler **hat** im Schulhof eine Karte für ein Fußballspiel **verloren**.

Ein Schüler verliert im Schulhof eine Karte für ein Fußballspiel. Ein anderer Schüler findet sie. Er gibt sie seiner Lehrerin. Die Lehrerin bringt sie ins Lehrerzimmer. Die Lehrer sprechen darüber und beschließen zu warten. Eine Woche lang tun sie nichts. Am Samstag findet das Spiel statt. Es gefällt dem Sportlehrer sehr gut.

ÜBUNG C

Uschi und Katrin sind im Café. Füll die Lücken im Gespräch aus.

Katrin: Willst du keinen Kuchen?
Uschi: Nein. Ich **(1)** *(beschließen)* <u>habe</u> endlich <u>beschlossen</u> abzunehmen. Ich **(2)** *(essen)* ___ gestern mein letztes Stück Kuchen ____ .
Katrin: Wieso denn das?
Uschi: Ich **(3)** *(treffen)*___ gestern im Café Renate____. Wir **(4)** *(verbringen)* ___ eine Stunde dort ____. Sie **(5)** *(bekommen)* ___ gestern das erste Geld für ihren Ferienjob ____ und **(6)***(ausgeben)* ___ die Hälfte davon für Kuchen ____!
Katrin: Und das **(7)***(gefallen)* _____ dir nicht ____. Also **(8)***(anfangen)* _____ du ____, Diät zu machen?
Uschi: Nein, nein. Ich **(9)***(haben)* ___ kein Problem damit ____.
Katrin: Es tut mir Leid. Ich **(10)***(verstehen)* _____ das nicht ____. Wie **(11)***(bringen)* _____ das dich auf die Idee ____, abzunehmen?
Uschi: Ja, als ich das Café **(12)***(verlassen)* ___ ___, **(13)***(sehen)* ___ ich mich plötzlich im Schaufenster ___!

ÜBUNG D PRÜFUNGSTRAINING

Du warst zu einer großen Feier eingeladen. Dein Brieffreund bzw. deine Brieffreundin stellt dir folgende Fragen darüber. Schreib deine Antwort.

„Was hast du getragen? Wann hat die Feier angefangen? Mit wem hast du gesprochen? Neben wem hast du gesessen? Wie hast du sie gefunden? Was hast du gegessen und getrunken? Hat es Sekt gegeben? Wie hat dir die Feier gefallen?"

Beispiel
Natürlich habe ich meine Jeans getragen!

The perfect tense with *sein*

What you need to know

A small number of verbs form their perfect tense not with *haben* but with *sein*:
*Er **ist** um neun Uhr ins Bett **gegangen**.*
*Wir **sind** nur zwanzig Minuten im Kino **geblieben**.*

So, for example, the full perfect tense of *gehen* is:

ich bin gegangen	*wir sind gegangen*
du bist gegangen	*ihr seid gegangen*
er/sie/es/man ist gegangen	*sie/Sie sind gegangen*

Any separable verbs which include one of these verbs also use *sein* in the perfect tense:

abfahren	→	*Ich **bin** gestern **abgefahren**.*
ankommen	→	*Wir **sind** in Bonn **angekommen**.*

Here are the main verbs which use *sein* in the perfect tense. You'll notice that many of them describe movement.

*Regular verbs with past participles ending in '-t'

(For more information about irregular verbs, see pages 74-75.)

Infinitive	Past participle	Meaning
aufstehen	*aufgestanden*	to get up
aufwachen	*aufgewacht**	to wake up
bleiben	*geblieben*	to stay
einschlafen	*eingeschlafen*	to go to sleep
einsteigen	*eingestiegen*	to get into (a vehicle)
fahren	*gefahren*	to drive, go
fliegen	*geflogen*	to fly
gehen	*gegangen*	to go, walk
laufen	*gelaufen*	to run
kommen	*gekommen*	to come
passieren	*passiert**	to happen
reisen	*gereist**	to travel
reiten	*geritten*	to ride
schwimmen	*geschwommen*	to swim
sein	*gewesen*	to be
sterben	*gestorben*	to die
wandern	*gewandert**	to go walking
werden	*geworden*	to become, get

ÜBUNG A

Dieses Jahr macht die kleine Iris alles zum ersten Mal.
Schreib Sätze wie im Beispiel.

Beispiel
1 Sie ist noch nie ins Ausland gefahren.

1 Sie fährt ins Ausland.
2 Sie steht vor sechs Uhr auf.
3 Sie schwimmt in einem Fluss.
4 Sie fährt mit ihrer Klasse weg.
5 Sie wandert in den Bergen.
6 Sie fährt Ski.
7 Sie reist mit einem eigenen Pass.

ÜBUNG B

Sieh dir die Tabelle an. Wer hat was gemacht?

Beispiel
Oliver und Thomas sind Ski gefahren.

	Ski fahren	reiten	fliegen	Schlittschuh laufen	in einer Mannschaft sein	über 20 km wandern	angeln gehen
Oliver	*			*			*
Uschi		*	*			*	
Thomas	*				*		
Katrin				*	*		

ÜBUNG C

Asla spricht von ihrer Familie. Füll die Lücken aus.

Mein Opa **(1)**(*kommen*) <u>ist</u> 1962 nach Deutschland
<u>gekommen</u>. Meine Oma **(2)**(*bleiben*) ___ jahrelang mit
den Kindern in der Türkei ___, aber 1968
(3)(*hierherkommen*) ___ sie auch alle ___. Daher
(4)(*werden*) ___ mein Vater in Deutschland groß ___.
Zwei Jahre später **(5)**(*sterben*) ___ mein Opa ___. Am
Anfang **(6)**(*sein*) ___ es für meine Oma sehr schwer ___,
aber nachher **(7)**(*laufen*) ___ alles gut ___. 1980 hat
mein Vater geheiratet. Und 1985 **(8)**(*passieren*) ___
etwas Fantastisches ___: Ich wurde geboren!

ÜBUNG D PRÜFUNGSTRAINING

Beantworte folgende Fragen von deinem Brieffreund bzw.
deiner Brieffreundin.

„Du hast gesagt, du bist zu Weihnachten
weggefahren. Wohin? War das mit der Familie?
Wie seid ihr gefahren? Erzähl mir alles! Du, ich
bin zu Neujahr um fünf Uhr morgens ins Bett
gegangen und um zwei Uhr nachmittags
aufgestanden! Und du?"

Beispiel
Ja, ich bin mit meinen Freunden weggefahren ...

The perfect tense – all forms

What you need to know

1 Formation – summary

The perfect tense corresponds to the English 'I found' or 'I have found', or in questions 'Have you found?' or 'Did you find?' It always consists of two parts:

a part of the verb *haben* or *sein* (most take *haben* – for those which take *sein*, see page 60)

b a past participle
*Du **hast** diese Arbeit nicht allein **gemacht**.*

With separable verbs, the *ge-* of the past participle is sandwiched between the two halves:
*Hast du diese Arbeit bei Bruno **abgeschrieben**?*

2 Word order in the perfect tense

a The part of *haben* or *sein* is in second place in the clause, but the past participle goes to the end:
*Wie **seid** ihr beide zu genau denselben Antworten **gekommen**?*

b Conjunctions like *weil*, *wenn* or *dass* will send the part of *haben* or *sein* to the end of the clause, after the past participle:

Normal word order:
Ich habe sie dir nicht früher zurückgegeben.

Word order after *dass*:
*Tut mir Leid, **dass** ich sie dir nicht früher zurückgegeben **habe**.*

Normal word order:
Ich bin gestern früh ins Bett gegangen.

Word order after *dass*:
*Ich habe Herrn Graber gesagt, **dass** ich gestern früh ins Bett gegangen **bin**.*

See also page 64.

Thinking it through

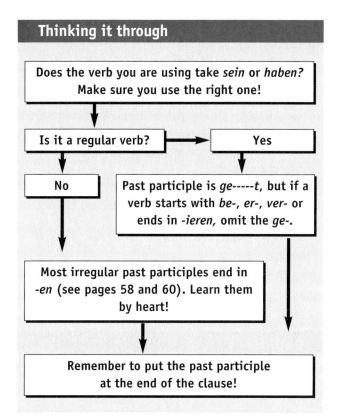

Does the verb you are using take *sein* or *haben?* Make sure you use the right one!

↓

Is it a regular verb? → Yes

↓ ↓

No | Past participle is *ge-----t*, but if a verb starts with *be-, er-, ver-* or ends in *-ieren*, omit the *ge-.*

↓

Most irregular past participles end in *-en* (see pages 58 and 60). Learn them by heart!

↓

Remember to put the past participle at the end of the clause!

ÜBUNG A

Was passt zusammen?

Beispiel
1C   Wann bin ich aufgestanden?

1	Wann bin	A	allein geblieben?
2	Wie lange hat	B	die Kinder gemacht?
3	Um wie viel Uhr seid	C	ich aufgestanden?
4	Wo habt	D	ich vergessen?
5	Wen hast	E	ihr angekommen?
6	Warum bist du	F	sie ins Krankenhaus gegangen?
7	Wie ist	G	ihr gewohnt?
8	Was haben	H	du kennengelernt?
9	Mit wem sind	I	der Unfall passiert?
10	Was habe	J	die Reise gedauert?

ÜBUNG B

Setz die Verben ins Perfekt.

Beispiel
Renates Mutter hat das Haus um acht Uhr verlassen ...

Renates Mutter verlässt das Haus um acht Uhr und fährt zum Bahnhof. Dort kauft sie sich eine Zeitung, setzt sich auf dem Bahnsteig auf eine Bank und liest, bis der Zug ankommt. Sie steigt dann ohne ihre Handtasche in den Zug ein. Der Zug fährt leider ab, bevor sie es bemerkt. Sie steigt später in Mainz um und nimmt den Schnellzug nach Koblenz. Aber sie passt nicht auf, schläft im Zug ein und wacht erst in Kletzingen auf. Vom Kletzinger Bahnhof ruft sie Renate an. Renate steht schnell auf und läuft zum Telefon. „Ach, Mutti!", sagt sie, „Was machst du denn heute Morgen?"

ÜBUNG C   PRÜFUNGSTRAINING

Stell dir vor, du hast ein paar Tage bei Freunden verbracht. Schreib deinem deutschen Freund eine Postkarte und sag ihm, was du alles gemacht hast, wo ihr hingegangen seid, usw. Frag ihn auch, ob er in letzter Zeit etwas unternommen hat.

Beispiel
Hallo, Konrad! Ich habe letzte Woche ein paar Tage bei meinen Freunden in London verbracht. Wir haben ...

63

Word order (3) – word order in the perfect tense

1 Normal word order in the perfect tense

As you know, the normal place for a verb in a German sentence is in second place. The perfect tense comprises two parts, so the first part (the part of *haben* or *sein*) is in the normal place in the clause, but the past participle goes to the end, and can be quite a long way from the first part:

*Ich **habe** letzte Woche zum ersten Mal in einem Restaurant chinesisch **gegessen**.*

Some conjunctions such as *und, aber, denn*, etc. do not affect the word order at all (see page 48):

*Wir sind im Hotel geblieben **und** haben Bücher gelesen, **denn** es hat den ganzen Tag geregnet.*

2 Changes after some conjunctions or relative pronouns

If a conjunction such as *weil, bis, wenn*, etc. is used (see page 48), the first part of the perfect tense is sent to the end of the clause after the past participle:

*Ich kann nicht kommen, **weil** ich zu viele Hausaufgaben **bekommen habe**.*

If a relative pronoun is used (see pages 70-71), the same change occurs:

*Das ist der Mann, **den** ich beim Fußballspiel **gesehen habe**.*

ÜBUNG A ● ●

Schreib den Satz richtig auf.

Beispiel
1 Thomas kommt nicht, weil er seine Hausaufgaben noch nicht gemacht hat.

1 Thomas kommt nicht, weil

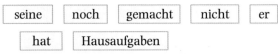

| seine | noch | gemacht | nicht | er |
| hat | Hausaufgaben |

2 Frag Katrin, ob

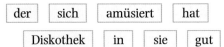

| der | sich | amüsiert | hat |
| Diskothek | in | sie | gut |

3 Marianne hat angerufen und

| Bahnhof | sie | wir | abgeholt | haben |
| am |

4 Obwohl ich gestern in der Stadt war,

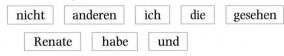

| nicht | anderen | ich | die | gesehen |
| Renate | habe | und |

5 Unsere Nachbarn sind nicht ausgegangen, denn

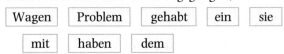

| Wagen | Problem | gehabt | ein | sie |
| mit | haben | dem |

ÜBUNG B ● ●

Ersetz das Wort in Rot mit dem Wort in Klammern und schreib den Satz neu auf.

Beispiel
1 Niemand weiß es, dass Brigitte nach Freiburg gefahren ist.

1 Niemand weiß es, **aber** Brigitte ist nach Freiburg gefahren. *(dass)*
2 Ich habe die Sendung nicht gesehen, **weil** mein Bruder den ganzen Abend Fußball geschaut hat. *(denn)*
3 Sie ist aus dem Supermarkt gekommen, **dann** ist sie in die Bäckerei gegangen. *(und)*
4 Wir haben keinen Hunger, **denn** wir haben in der Stadt etwas zu essen gekauft. *(weil)*
5 Er hat seinem Vater nichts gesagt, **aber** er hat eine sehr schlechte Note bekommen. *(als)*

ÜBUNG C

Emin hat eine Reise mit seiner Klasse gemacht. Man hat ihm Fragen darüber gestellt. Hier sind seine Antworten. Wie waren die Fragen?

Beispiel
1   Wohin seid ihr gefahren?

1   Nach Bayern.
2   Um halb zehn.
3   In einer Jugendherberge.
4   Eine Kirche, ein Schloss und ein paar Städte.
5   Es hat mir sehr gut gefallen.
6   Meistens Pizza und Spaghetti.
7   Gestern Abend.

ÜBUNG D

Kombiniere die zwei Sätze mit dem Wort in Klammern.

Beispiel
1   Als ich ins Kino gegangen bin, habe ich Uli getroffen.

1   Ich bin ins Kino gegangen. Ich habe Uli getroffen. *(als)*
2   Ich weiß alles über den Ausflug. Ich habe gestern von ihr einen Brief bekommen. *(weil)*
3   Wir haben den Film zum zweiten Mal gesehen. Er hat uns nicht so gut gefallen. *(als)*
4   Sie haben sich an den Tisch gesetzt. Sie haben sich die Hände gewaschen. *(bevor)*
5   Er hat das Buch zu Ende gelesen. Er hat es sehr langweilig gefunden. *(obwohl)*

ÜBUNG E

Schreib den Satz jeweils mit dem neuen Anfang auf.

Beispiel
1   Hast du deiner Mutter gesagt, dass du in Frankfurt angekommen bist?

1   Du bist in Frankfurt angekommen.

> Hast du deiner Mutter gesagt, dass ...?

> Um wie viel Uhr ...?

> Was ist passiert, als ...?

2   Die Beamten haben mir das Problem erklärt.

> Im Flughafen ...

> Ich bin nicht zufrieden, obwohl ...

> Als wir in Frankfurt gelandet sind, ...

3   Ich habe kein Wort davon verstanden.

> Hoffentlich bemerkt sie nicht, dass ...

> Leider ...

> Obwohl sie langsamer gesprochen hat, ...

4   Er hat sein Geld vergessen.

> Beim Packen ...

> Bruno hat nichts gemacht, weil ...

> Er hat seinen Pass verloren und ...

ÜBUNG F   PRÜFUNGSTRAINING

Dein neuer Brieffreund hat dir folgende Fragen gestellt. Schreib Antworten darauf.

„Hast du schon einen anderen Brieffreund gehabt? Wer hat dir meine Adresse gegeben? Hast du meinen ersten Brief verstanden? Wie alt warst du, als du angefangen hast, Deutsch zu lernen? Hast du deinen letzten Brief allein geschrieben oder hat dir jemand geholfen? Habe ich dir erzählt, dass ich im März nach Frankreich gefahren bin? Und du, bist du schon in Frankreich gewesen?"

Beispiel   Ich habe schon einen amerikanischen Brieffreund gehabt ...

What you need to know

1 How to use it

The imperfect is the name given to the 'single word' past tense in German. But unlike the 'single word' past tense in English ('went', 'had', 'gave', etc.), it is not used very much in speech. The perfect tense (pages 56-63) is the one mainly used to talk about the past. So why learn the imperfect? There are two reasons:

a because a small number of verbs **are** often used in this tense

b because it is the past tense most commonly used in written German (stories, journalism, etc.).

a Imperfect tense used in speech

The following verbs are frequently used in the imperfect in speech. They include all the modal verbs:

denken	ich dachte
dürfen	ich dürfte
es gibt	es gab
glauben	ich glaubte
haben	ich hatte
können	ich konnte
müssen	ich musste
sein	ich war
sollen	ich sollte
wissen	ich wusste
wollen	ich wollte

b You will notice that the verb *wohnen* is used in the imperfect in the cartoon:
ich wohnte — this conveys the idea: 'I used to live'.

What you need to know

2 Formation

The imperfect of regular verbs is easy to form:

*ich wohn***te**	*wir wohn***ten**
*du wohn***test**	*ihr wohn***tet**
*er/sie/es/man wohn***te**	*sie/Sie wohn***ten**

As you would expect, irregular verbs have irregular imperfects. These are listed in the verb tables on pages 74-75. Many, like *war* and *gab*, do not have a *-te* ending. They go like this:

ich war	*wir waren*
du warst	*ihr wart*
er/sie/es/man war	*sie/Sie waren*

ÜBUNG A

Was passt zusammen?

Beispiel
1D Letztes Jahr hatte ich schlechte Noten.

1	Letztes Jahr hatte	**A**	war sehr streng mit mir.
2	Meine Lehrer	**B**	es nur zwei Monate.
3	Mein Vater	**C**	meine Freunde nicht, was los war.
4	Ich	**D**	ich schlechte Noten.
5	Unter der Woche	**E**	wir uns sehen.
6	Zuerst wussten	**F**	waren gar nicht froh.
7	Nur samstags konnten	**G**	durfte ich nicht ausgehen.
8	Glücklicherweise dauerte	**H**	musste viel fleißiger arbeiten.

ÜBUNG B

Bilde so viele Sätze wie möglich aus der Tabelle.

Beispiel
Ich war im Urlaub.

Ich	hatten keine Zeit.
Du	waren weg.
Mein bester Freund und ich	warst nicht zu Hause.
Meine Freunde	war im Urlaub.
Mein bester Freund	hattest etwas zu tun.
	musste arbeiten.

ÜBUNG C

Vervollständige die Sätze mit dem Imperfekt.

Beispiel
1 Früher waren die Kommunikationsmittel nicht schnell.

1 Heute sind die Kommunikationsmittel schnell. Früher ...
2 Heute gibt es viel zu tun. Früher ...
3 Heute kann man leicht ins Ausland fahren. Früher ...
4 Heute sind Autos sehr sicher. Früher ...
5 Heute haben wir Zentralheizung. Früher ...
6 Heute können alle Kinder in die Schule gehen. Früher ...
7 Heute weiß man viel über Krankheiten. Früher ...
8 Heute darf man seine Meinung sagen. Früher ...

ÜBUNG D

Schreib die Verben im Imperfekt in diesem Gespräch.

Renate: Du, es **(1)** *(geben)* <u>gab</u> gestern eine Party bei Uschi. Warum **(2)** *(sein)* ___ du nicht da?

Lutz: Ich **(3)** *(können)* ___ nicht kommen. Ich **(4)** *(haben)* ___ zu viel zu tun.

Renate: Wir **(5)** *(denken)* ___, du **(6)** *(haben)* ___ vielleicht ein Problem.

Lutz: Nein. Ich **(7)** *(sein)* ___ ein bisschen müde, aber ich **(8)** *(wollen)* ___ trotzdem zur Party kommen.

Renate: Warum **(9)** *(können)* ___ du nicht kommen?

Lutz: Ich **(10)** *(wissen)* ___ nicht, dass wir von meinen Großeltern Besuch **(11)** *(haben)* ___. Sie schlafen immer in meinem Zimmer, also **(12)** *(müssen)* ___ ich alles aufräumen. Es **(13)** *(sein)* ___ so ein Schweinestall!

ÜBUNG E   PRÜFUNGSTRAINING

Beantworte diese Fragen im Brief von deinem Brieffreund bzw. von deiner Brieffreundin.

„Wo wohntest du, als du klein warst? Wie war dein Haus oder deine Wohnung? Gab es einen Park in der Nähe? Hattest du Haustiere? Welche? Wusstest du, dass ich eine Katze habe? Als Kind wollte ich immer einen Hund haben, aber ich durfte nicht. Und du?"

Beispiel Als ich klein war, ...

The conditional – *würde*

What you need to know

To say someone 'would' do something, use *würde* plus the infinitive, just like a modal verb (see page 42). The ending of the word *würde* changes according to the person:

ich würde	*wir würden*
du würdest	*ihr würdet*
er/sie/es/man würde	*sie/Sie würden*

As with modal verbs, the infinitive goes to the end of the clause.

You do not need to use *würde* to say 'would be' or 'would have'. There are special words for these:

would be *wäre*   would have *hätte*

Remember that the endings of these will change, just as *würde* does, according to the person.

Note that when you use a conditional *würde* with *wenn* (meaning 'if'), the verb after *wenn* has to be in the conditional, too:
*Auch **wenn** ich kein Geld **hätte**, **würde** ich ja sagen.*

ÜBUNG A

Was sagt Thomas? Schreib, was er denkt.

1 Oliver steht um halb sechs auf.
   Ich würde nicht um halb sechs aufstehen.
2 Katrin kommt mit dem Rad zur Schule. Ich … nicht …
3 Bruno wohnt auf dem Land. Ich …
4 Uschi macht Diät. Ich …
5 Renate geht früh ins Bett. Ich …
6 Emin spielt in einer Band. Ich …
7 Asla gibt viel für Kleider aus. Ich …

ÜBUNG C   PRÜFUNGSTRAINING

Beantworte folgende Fragen von deinem Brieffreund bzw. deiner Brieffreundin.

„Du! Ich habe tausend Euro gewonnen! Aber ich weiß nicht, was ich damit machen soll. Was würdest du an meiner Stelle machen? Oder was würdest du bestimmt nicht machen? Wohin würdest du fahren? Was würdest du dir kaufen? Gib mir Ideen!"

Beispiel An deiner Stelle würde ich …

What you need to know

To say 'I had bought' (the pluperfect tense) rather than 'I have bought' (the perfect tense), use *hatte* in place of *habe*, together with the past participle:

  ich **hatte** *gekauft*   I had bought

If the verb you are using is one that forms its perfect tense with *sein* rather than *haben* (see page 60), its pluperfect will use *war* instead of *hatte*:

  ich **war** *gegangen*   I had gone

Here is the pluperfect tense in full (note that *hatte* and *war*, etc. are the imperfect tense forms of *haben* and *sein*):

ich	hatte	
du	hattest	
er/sie/es/man	hatte	*gekauft*
wir	hatten	
ihr	hattet	
sie/Sie	hatten	

ich	war	
du	warst	
er/sie/es/man	war	*gegangen*
wir	waren	
ihr	wart	
sie/Sie	waren	

ÜBUNG A   ● ● ●

Füll die Lücken aus.

Vor der Fahrt war Asla sehr aufgeregt. Sie **(1)** <u>war</u> noch nie in die Türkei gefahren. Ihre Eltern **(2)** ___ fast ihr ganzes Leben in Deutschland verbracht. Ein- oder zweimal **(3)** ___ ihr Vater seine Mutter in der Heimat besucht, aber Asla selbst **(4)** ___ nie im Ausland gewesen. Sie **(5)** ___ sich immer für eine Deutsche gehalten und **(6)** ___ nie wirklich Lust gehabt, wegzufahren. Natürlich aber **(7)** ___ sie viel draüber gelesen und ein paar Freundinnen **(8)** ___ sogar dahingefahren. Jetzt war Asla daran.

69

Relative pronouns

1 Meaning

The words 'which', 'who' or 'that' are called 'relative pronouns' when they 'relate' (i.e. link) one part of a sentence to another. They save you having to repeat the same noun twice:

I've met a boy. The boy (or he) is really great.

I've met a boy **who** is really great.

In German:

Ich habe einen Jungen kennengelernt. Er ist wirklich toll.

*Ich habe einen Jungen kennengelernt, **der** wirklich toll ist.*

In English we use 'who' to refer to a person and 'which' to refer to a thing. We can also use 'that' for both of these. What's more, we often miss out relative pronouns altogether, e.g. 'Kirsten has got a concert ticket I want to buy'. In German 'who', 'which' and 'that' are all conveyed by the relative pronouns *der*, *die*, *das*, etc., and you **cannot** leave them out.

2 How to use them

Which relative pronoun you must use depends on two things:

a the gender of the person or thing you are referring to and whether it is singular or plural

b which case the person or thing is in (i.e. its grammatical role in the sentence – whether it is nominative, accusative, genitive or dative):

*Kirsten hat eine Konzertkarte, **die** ich kaufen will.*

> **feminine, because it refers to *Karte***

> **accusative, because it is the object of *ich will kaufen***

*Er hat einen Bruder, mit **dem** Kirsten ausgeht.*

> **masculine, because it refers to *Bruder***

> **dative, because it comes after *mit***

70

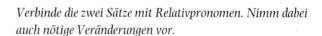

What you need to know

3 Formation

With a few variations (underlined below), relative pronouns are the same words as the definite article (see pages 4-5):

	Masculine	Feminine	Neuter	Plural
Nominative	der	die	das	die
Accusative	den	die	das	die
Genitive	_dessen_	_deren_	_dessen_	_deren_
Dative	dem	der	dem	_denen_

4 Word order with relative pronouns

Notice how relative pronouns affect the position of the verb: it has to go to the end of the clause:

Ich haben eine Schwester, **die** in München **wohnt**.

5 _Etwas_, _alles_ and _nichts_

After these words, always use _was_:
Das erinnert mich an etwas, was ich machen muss!

Now see if you can explain the form of all six relative pronouns that appear in the cartoon.

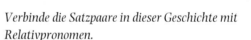 **ÜBUNG A**

Du musst deiner Brieffreundin ein paar Dinge erklären. Füll die Lücken aus.

1 ‚HP sauce' ist ein Ketchup, <u>der</u> sehr gut zu Fisch mit Pommes frites passt.
2 ‚Eastenders' ist eine Fernsehserie, ___ ich mir immer anschaue.
3 ‚Toad in the hole' ist ein Gericht mit Wurst, ___ ich nicht sehr gern esse.
4 ‚Christmas pudding' ist etwas, ___ man zu Weihnachten isst.
5 ‚CDT' ist ein Fach, ___ wir in der Schule haben.
6 ‚Carols' sind Lieder, ___ wir zu Weihnachten singen.
7 ‚Guy Fawkes night' ist der Tag, an ___ wir Feuerwerk haben.
8 Ein ‚bat' ist der Schläger, mit ___ man beim Kricket den Ball schlägt.

ÜBUNG B

Verbinde die zwei Sätze mit Relativpronomen. Nimm dabei auch nötige Veränderungen vor.

Beispiel
1 Renate wohnt in einer kleinen Straße, **die** hinter dem Bahnhof ist.

1 Renate wohnt in einer kleinen Straße. Die Straße ist hinter dem Bahnhof.
2 Sie hat einen kleinen Bruder. Ihr Bruder heißt Markus.
3 Sie hat eine Freundin namens Uschi. Sie verbringt viel Zeit bei ihr.
4 Sie hat einen jungen Englischlehrer. Sie findet ihn nicht sehr nett.
5 Ihre Mutter arbeitet in einem Geschäft. Das Geschäft ist in der Mozartstraße.
6 Sie haben junge Nachbarn. Renate macht manchmal Babysitting für sie.

ÜBUNG C

Verbinde die Satzpaare in dieser Geschichte mit Relativpronomen.

Beispiel
1 Gestern haben wir eine Radtour gemacht, **die** uns sehr gut gefallen **hat**.

Gestern haben wir eine Radtour gemacht. Sie hat uns sehr gut gefallen. / Wir haben zuerst einen Zug genommen. Er hat uns nach Leintal gebracht. / Dort haben wir den alten Radweg gefunden. Er führt nach Hallen. / Gegen elf Uhr haben wir Pause gemacht, um Kekse zu essen. Axel hatte sie mitgebracht. / Axel hat ein altes Rad. Er hat ein paar Probleme damit gehabt. / Zuerst hat er einen Platten gehabt. Wir haben ihn zusammen repariert. / Eine halbe Stunde später sind wir zu einer kleinen Brücke gekommen. Wir mussten die Brücke überqueren. / Da ist aber etwas passiert.
Niemand konnte es verstehen. / Plötzlich war Axel im Wasser. Das Wasser war sehr schmutzig. / Er war durch und durch nass. / Was konnte er anziehen? Wir hatten nichts bei uns.* /
Der Arme musste in seiner Unterhose weiterfahren!

* Begin your new sentence with _Wir hatten nichts bei uns, ..._

Combining different tenses

ÜBUNG A

Setz die Verben ins Futur und ins Perfekt.

Beispiel

1 Nächstes Jahr werde ich nach Schottland fahren.
  Letztes Jahr bin ich nach Schottland gefahren.

1 Dieses Jahr fahre ich nach Schottland.
2 Dieses Jahr arbeite ich in den Ferien.
3 Dieses Jahr verdiene ich ein bisschen Geld.
4 Dieses Jahr verstehen wir uns besser.
5 Dieses Jahr steht Uschi früher auf.
6 Dieses Jahr gefällt dir die Schule besser.
7 Dieses Jahr verbringen sie mehr Zeit zusammen.

ÜBUNG B

Schreib das Verb in jedem Satz richtig. (Es gibt manchmal mehr als eine Möglichkeit.)

Beispiel

1 Heute **bekommst** du dein Zeugnis.

1 Heute *(bekommen)* du dein Zeugnis.
2 Morgen *(abholen)* ich meinen Austauschpartner.
3 Vor zwei Jahren *(reisen)* wir nach Schweden.
4 In drei Tagen *(haben)* du deinen neuen Computer.
5 Im Moment *(aufräumen)* mein Vater die Garage.
6 Annette *(lernen)* seit vier Jahren Klavier.
7 Wenn ich mehr Zeit hätte, *(anfangen)* ich bestimmt Basketball.
8 Gestern *(schreiben)* mir meine Brieffreundin eine E-Mail.

ÜBUNG C

Was passt zusammen?

Beispiel

1C Letztes Wochenende bin ich zu Hause geblieben.

1	Letztes Wochenende bin ich	**A**	ein paar Freunde getroffen.
2	Ich hatte keine Lust	**B**	jemand einlädt.
3	Ich wollte nur	**C**	zu Hause geblieben.
4	Manchmal gefällt	**D**	sie gesagt,
5	Ich bin nur aus dem Haus gegangen,	**E**	ich gar nicht aus dem Haus.
6	Da habe ich sofort	**F**	auszugehen.
7	Zufällig waren	**G**	um Brot zu holen.
8	‚Komm mit!' haben	**H**	mir das.
9	Ich kann nie ‚nein' sagen, wenn mich	**I**	sie auf dem Weg zum Jahrmarkt.
10	Nächstes Mal gehe	**J**	meine Ruhe haben.

ÜBUNG D PRÜFUNGSTRAINING

Stell dir vor, du verbringst deine Sommerferien in einem Jugendcamp. Wie findest du es dort? Was hat dir bis jetzt am besten gefallen? Unten steht das Programm für die Woche. Heute ist Mittwoch. Schreib einen Brief über alles, was du machst. Was hast du gestern und vorgestern gemacht? Was machst du heute? Und was wirst du wahrscheinlich morgen und übermorgen machen?

Beispiel

Vorgestern habe ich am Morgen Fußball gespielt.

	Vormittag	Nachmittag	Abend
Montag	Fußball oder Radtour	Kunst oder Schwimmen	Film
Dienstag	Reiten oder Segeln	Schlossbesuch	Lagerfeuer
Mittwoch	Basketball oder Athletik	Radtour oder Musik	Diskothek
Donnerstag	Wanderung, ganzen Tag		frei
Freitag	Kunst oder Kochen	frei	Party

Make a list of the verbs in the cartoon in each of
the following tenses:

- the present
- the perfect
- the future
- the imperfect
- the pluperfect.

Table of irregular verbs

Notes:

1 The *ich* form of the present tense is shown for every verb in the list, and the *er/sie/es* form is also given for verbs which are irregular in the third person – remember that the *du* form of these verbs is also irregular.

2 Separable verbs are indicated with the separable prefix in heavy type.

3 Verbs which take *sein* rather than *haben* in the perfect tense are shown in red.

4 The complete present tense of the irregular verbs *haben* and *sein* is given at the end of this list.

5 To make the future tense of any verb, remember to use part of *werden* plus the infinitive.

Infinitive	Meaning	Present tense	Perfect tense	Imperfect tense
anfangen	*to begin, start*	ich fange **an** er fängt **an**	ich habe **an**gefangen	ich fing **an**
anrufen	*to phone*	ich rufe **an**	ich habe **an**gerufen	ich rief **an**
aufstehen	*to get up*	ich stehe **auf**	ich bin **auf**gestanden	ich stand **auf**
beginnen	*to begin*	ich beginne	ich habe begonnen	ich begann
bekommen	*to receive, get*	ich bekomme	ich habe bekommen	ich bekam
beschließen	*to decide*	ich beschließe	ich habe beschlossen	ich beschloss
bleiben	*to stay, remain*	ich bleibe	ich bin geblieben	ich blieb
brechen	*to break*	ich breche er bricht	ich habe gebrochen	ich brach
bringen	*to bring*	ich bringe	ich habe gebracht	ich brachte
denken	*to think*	ich denke	ich habe gedacht	ich dachte
dürfen	*to be allowed to, may*	ich darf er darf	–very seldom used–	ich durfte
einladen	*to invite*	ich lade **ein** er lädt **ein**	ich habe **ein**geladen	ich lud **ein**
einsteigen	*to get in*	ich steige **ein**	ich bin **ein**gestiegen	ich stieg **ein**
essen	*to eat*	ich esse er isst	ich habe gegessen	ich aß
fahren	*to drive, go*	ich fahre er fährt	ich bin gefahren	ich fuhr
fallen	*to fall*	ich falle er fällt	ich bin gefallen	ich fiel
finden	*to find*	ich finde	ich habe gefunden	ich fand
fliegen	*to fly*	ich fliege	ich bin geflogen	ich flog
geben	*to give*	ich gebe er gibt	ich habe gegeben	ich gab
gefallen	*to please*	es gefällt mir	es hat mir gefallen	es gefiel mir
gehen	*to go*	ich gehe	ich bin gegangen	ich ging
gewinnen	*to win*	ich gewinne	ich habe gewonnen	ich gewann
haben *	*to have*	ich habe er hat	ich habe gehabt	ich hatte
halten	*to hold, stop*	ich halte er hält	ich habe gehalten	ich hielt
helfen	*to help*	ich helfe er hilft	ich habe geholfen	ich half
kennen	*to know*	ich kenne	ich habe gekannt	ich kannte
kommen	*to come*	ich komme	ich bin gekommen	ich kam
können	*to be able to, can*	ich kann er kann	–very seldom used–	ich konnte
lassen	*to let, leave*	ich lasse er lässt	ich habe gelassen	ich ließ
laufen	*to run*	ich laufe er läuft	ich bin gelaufen	ich lief

Infinitive	Meaning	Present tense	Perfect tense	Imperfect tense
lesen	to read	ich lese er liest	ich habe gelesen	ich las
liegen	to lie	ich liege	ich habe gelegen	ich lag
mögen	to like	ich mag er mag	–very seldom used–	ich mochte
müssen	to have to, must	ich muss er muss	–very seldom used–	ich musste
nehmen	to take	ich nehme er nimmt	ich habe genommen	ich nahm
reiten	to ride	ich reite	ich bin geritten	ich ritt
schlafen	to sleep	ich schlafe er schläft	ich habe geschlafen	ich schlief
schreiben	to write	ich schreibe	ich habe geschrieben	ich schrieb
schwimmen	to swim	ich schwimme	ich bin geschwommen	ich schwamm
sehen	to see	ich sehe er sieht	ich habe gesehen	ich sah
sein *	to be	ich bin er ist	ich bin gewesen	ich war
singen	to sing	ich singe	ich habe gesungen	ich sang
sitzen	to sit	ich sitze	ich habe gesessen	ich saß
sollen	ought to, should	ich soll er soll	–very seldom used–	ich sollte
sprechen	to speak	ich spreche er spricht	ich habe gesprochen	ich sprach
stehen	to stand	ich stehe	ich habe gestanden	ich stand
sterben	to die	ich sterbe er stirbt	ich bin gestorben	ich starb
tragen	to carry, wear	ich trage er trägt	ich habe getragen	ich trug
treffen	to meet	ich treffe er trifft	ich habe getroffen	ich traf
trinken	to drink	ich trinke	ich habe getrunken	ich trank
tun	to do	ich tue	ich habe getan	ich tat
verbringen	to spend (time)	ich verbringe	ich habe verbracht	ich verbrachte
vergessen	to forget	ich vergesse er vergisst	ich habe vergessen	ich vergaß
verlassen	to leave	ich verlasse er verlässt	ich habe verlassen	ich verließ
verlieren	to lose	ich verliere	ich habe verloren	ich verlor
verstehen	to understand	ich verstehe	ich habe verstanden	ich verstand
waschen	to wash	ich wasche er wäscht	ich habe gewaschen	ich wusch
werden	to become	ich werde er wird	ich bin geworden	ich wurde
wissen	to know	ich weiß er weiß	ich habe gewusst	ich wusste
wollen	to want to	ich will er will	–very seldom used–	ich wollte

* Present tense of *sein* and *haben*:

sein		haben	
	ich bin		ich habe
	du bist		du hast
	er/sie/es/man ist		er/sie/es/man hat
	wir sind		wir haben
	ihr seid		ihr habt
	sie/Sie sind		sie/Sie haben

A

ab/fahren to leave
ab/geben to hand in
ab/holen to collect, pick up
ab/schreiben to copy
der **Abfalleimer(-)** waste bin
ab/nehmen to lose weight
der **Affe(n)** monkey
die **Ahnung(en)** idea
als than, as, when
die **Altersgruppe(n)** age group
an at, in
an/fangen to start
an/kommen to arrive
an/rufen to call, phone
sich **an/schauen** to watch
schau dir das an! look at that!
an/ziehen to put on
angeln to fish
Angst haben to be afraid
an/hören to listen to
der **Apfel(¨)** apple
der **Apfelsaft** apple juice
sich **ärgern** to be angry
artig well behaved
auf on, onto
auf/machen to open
auf/passen to pay attention
auf/räumen to tidy up
auf/schreiben to write out
auf/stehen to get up
der **Aufenthalt(e)** stay
das **Auge(n)** eye
aus out of, from
aus/geben to spend (money)
aus/probieren to try out
aus/richten to give a message
aus/sehen to look
aus/steigen to get out (of a vehicle)
der **Ausflug(¨e)** outing
ins **Ausland** abroad
der **Ausweis(e)** identity card

B

der **Bahnhof(¨e)** station
bald soon
der **Beamte(n)** official
sich **beeilen** to hurry
bei at ... 's house, with
beide both
bekommen to get
bemerken to notice
benutzen to use
berühmt famous
beschließen to decide
besonders specially
bestellen to order
bestimmt certain, definitely
der **Besuch(e)** visit
besuchen to visit
das **Bett(en)** bed
die **Bettdecke(n)** bedcover

billig cheap
bis until, by
ein **bisschen** a bit
bleiben to stay
blöd stupid
bloß just
die **Bluse(n)** blouse
der **Bodensee** Lake Constance
das **Bonbon(s)** sweet
das **Boot(e)** boat
böse angry, angrily
der **Boss(e)** boss
brauchen to need
braver Junge good boy
das **Brettspiel(e)** board game
der **Brief(e)** letter
die **Broschüre(n)** brochure
das **Brot** bread
die **Brücke(n)** bridge
der **Bruder(¨)** brother
das **Buch(¨er)** book
der **Bus(¨se)** bus
der **Busfahrer(-)** bus driver
die **Butter** butter
das **Butterbrot(e)** sandwich
bzw. as applicable

C

der **Campingplatz(¨e)** campsite
die **CD(s)** CD
das **Comic(s)** comic
die **Cousine(n)** (female) cousin

D

da drüben over there
dafür in return
die **Dame(n)** lady
danken (+ dat.) to thank
darüber about it, over it
dasselbe the same
dauern to take (time), to last
denken to think
dennoch in any case
deshalb therefore, that's why
doof stupid, thick
das **Dorf(¨er)** village
der **Dosenöffner(-)** can opener
draußen outside
der **Dreck** muck
dunkel dark
durch through
dürfen to be allowed to
die **Dusche(n)** shower

E

echt really
egal the same
es ist dir * you don't care
das **Ei(er)** egg
eigen own
ein/kaufen to shop
ein/laden to invite

ein/schlafen to go to sleep
ein/steigen to get in (a vehicle)
einfach simply
der **Einkaufswagen** shopping trolley
einmal once
nicht * not even
das **Einmaleins** (multiplication) tables
der **Eintritt** entry, admittance
die **Eltern** *(pl.)* parents
das **Ende(n)** end
entlang along
enttäuschen to disappoint
die **Enttäuschung(en)** disappointment
die **Erdkunde** geography
sich **erinnern** to remember
erinnern to remind
erklären to explain
erst only
erzählen to tell
das **Esszimmer** dining room
etwa for instance
meinst du *? Do you mean to say ...?
so **etwas** such a thing

F

das **Fach(¨er)** subject
die **Fahrkarte(n)** ticket
die **Fahrt(en)** journey
falsch wrong
die **Farbe(n)** colour
faul lazy
der **Fehler(-)** mistake
die **Feier(n)** party
feiern to celebrate
fern/sehen to watch television
die **Fernsehserie(n)** TV series
fertig machen to get finished
fertig ready
der **Film(e)** film
der **Fisch(e)** fish
das **Fleisch** meat
fliegen to fly
der **Flughafen(¨)** airport
der **Fluss(¨e)** river
folgende the following
der **Fotoapparat(e)** camera
die **Frage(n)** question
die **Freiheit** freedom
sich **freuen auf** (+ acc.) to look forward to
der **Freund(e)** friend
die **Freundin(nen)** (girl)friend
früh early
für for
furchtbar terribly
der **Fußball(¨e)** football

G

es **gab** *(from* geben*)* there was, were
ganz whole, quite
gar kein none at all

die **Garage(n)** garage
der **Garten(¨)** garden
der **Gärtner(-)** gardener
der **Geburtstag(e)** birthday
gefallen to please
es gefällt mir I like it
gefährlich dangerous
es hat **gegeben** *(from* **geben***)* there was, were
gegen against
die **Gegend(en)** region, district
gehören to belong
das **Geld** money
der **Geldbeutel(-)** purse
gerade just, straight
Ich habe * kein Geld That's just it – I haven't got any money
das **Gericht(e)** dish, meal
das **Geschenk(e)** present
die **Geschichte(n)** story, history
die **Geschwister** *(pl.)* brothers and sisters
das **Getränk(e)** drink
gewinnen to win
gewöhnlich usually
es **gibt** *(from* **geben***)* there is, there are
glauben to think, believe
Glück haben to be lucky
die **Grille(n)** table, chart
die **Gruppe(n)** group
gucken to look

H

die **Haare** *(pl.)* hair
das **Hähnchen(-)** chicken
sich **halten für** to think of yourself as
die **Hand(¨e)** hand
das **Haustier(e)** pet
die **Haustür(en)** front door
das **Heft(e)** exercise book
helfen *(+ dat.)* to help
das **Hemd(e)** shirt
der **Herr(en)** gentleman
die **Hilfe** help
der **Himmel** sky
hinter behind
hinterlassen to leave (behind)
das **Hotel(s)** hotel
hübsch pretty
der **Hund(e)** dog
die **Hälfte(n)** half

I

irgendwo somewhere

J

die **Jacke(n)** jacket
das **Jahr(e)** year
der **Jahrmarkt(¨e)** fair
die **Jeans** *(pl.)* jeans
jemand someone

jeweils each time
die **Jugendherberge(n)** youth hostel
die **Jungs** *(pl.)* guys

K

der **Kapitän(e)** captain
der **Käse** cheese
die **Kasse(n)** check-out, till
die **Kassette(n)** cassette
die **Katze(n)** cat
der **Keks(e)** biscuit
der **Keller(-)** basement
die **Kellnerin(nen)** waitress
kennen to know
kennen/lernen to get to know, meet
das **Kind(er)** child
das **Kino(s)** cinema
die **Kirche(n)** church
es **klappt nicht** *(from* **klappen***)* it's not working
das **Klavier(e)** piano
das **Kleid(er)** dress
der **Kleiderschrank(¨e)** wardrobe
das **Klo** loo
klopfen to knock
der **Klub(s)** club
das **Kochen** cookery
der **Koffer(-)** case
können to be able to, can
das **Kopfkissen(-)** pillow
der **Krach** row, fuss
die **Krankheit(en)** illness
die **Krawatte(n)** tie
die **Kreuzung(en)** crossroads
die **Küche(n)** kitchen
der **Kuchen(-)** cake
der **Kugelschreiber(-)** pen
der **Kühlschrank** fridge
die **Kunst** art
Köpfe hoch! cheer up!

L

das **Lagerfeuer** campfire
das **Land(¨er)** country
die **Landkarte(n)** map
die **Landstraße(n)** main road
langsam slow
langweilig boring
lassen to let, leave
laufen to run; to be on (at the cinema/on TV)
das **Leben(-)** life
leicht easy
tut mir **Leid** I'm sorry
leider unfortunately
leihen to lend
leise quietly
lesen to read
die **Leute** *(pl.)* people
Lieblings- favourite ...
das **Lied(er)** song

Was ist los? What's' wrong?
Hast du Lust ...? Do you want to ...?

M

das **Mädchen(-)** girl
das **Mal** time
der **Mann(¨er)** man
die **Mannschaft(en)** team
der **Mantel(¨)** coat
meckern to moan
das **Meer** sea
das **Meerschweinchen(-)** guinea pig
mehrere several
meinen to think, mean
die **Meinung(en)** opinion
meistens mostly
das **Messer(-)** knife
mit with
mit/machen to join in
der **Mitschüler** *(pl.)* other pupils
das **Mittagessen** lunch
der **Mittwoch** Wednesday
die **Mode(n)** fashion
die **Möglichkeit(en)** possibility
der **Monat(e)** month
das **Museum (Museen)** museum
müssen to have to, must

N

nach after
der **Nachbar(n)** neighbour
nachher afterwards
der **Nachmittag(e)** afternoon
in der **Nähe** nearby
neulich recently
nie never
niemand nobody
nirgendwo nowhere
die **Note(n)** mark
nötig necessary
die **Nummer(n)** number
nur only

O

oben upstairs
das **Obst** fruit
obwohl although
öfters often
ohne without
in **Ordnung** all right

P

das **Paket(e)** packet, bag
der **Park(e)** park
das **Parkhaus(¨er)** multistorey car park
der **Partner(-)** partner
die **Partnerin(nen)** partner
die **Party(s)** party
der **Pass(¨e)** passport
passen to go with; fit
es passt dir it fits you

Wordlist

passieren to happen
die **Person(en)** person
die **Pflanze(n)** plant
der **Pickel(-)** spot
das **Picknick(e)** picnic
der **Plan("e)** map, plan
der **Platte** flat tyre
der **Platz("e)** square, place, room
plötzlich suddenly
die **Polizei** police
die **Prüfung(en)** exam
der **Pulli(s)** pullover
putzen to clean

Q

Quatsch! rubbish!

R

das **Rad("er)** bike
die **Radtour(en)** bike ride
der **Radweg(e)** bicycle path
die **Rechnung(en)** bill
das **Recht** right
  da gebe ich dir *! you're right there!
reden to talk
der **Regenschirm(e)** umbrella
regnen to rain
der **Reis** rice
die **Reise(n)** journey
reisen to travel
reiten to ride
der **Rock("e)** skirt
die **Rolle(n)** job, role
die **Rückfahrt(en)** journey home
die **Ruhe** quiet

S

die **S-Bahn** (local) train
der **Salat(e)** salad
die **Sammlung(en)** collection
der **Satz("e)** sentence
sauber/machen to clean
schade a shame
das **Schaufenster(-)** (shop) window
schenken to give (as a present)
schicken to send
das **Schlagzeug** drums
schlank slim
schlimm bad
Schlittschuh laufen to skate
das **Schloss("er)** castle
der **Schläger(-)** bat, racket
der **Schlüssel(-)** key
die **Schokolade** chocolate
schon already, before
der **Schritt(e)** step
der **Schuh(e)** shoe
die **Schule(n)** school
der **Schulweg(e)** way to school
die **Schweiz** Switzerland
schwer heavy

das **Schwimmbad("er)** swimming pool
schwören to swear
der **See(n)** lake
die **See** sea
das **Segeln** sailing
sei (from **sein**) be
sein his, its
sein to be
seit since, for
der **Sekt** champagne
die **Sendung(en)** programme
sich **setzen** to sit
sicher sure, certain
das **Sofa(s)** sofa
sofort straight away
sogar even
der **Sohn("e)** son
sollen to be meant to, should
die **Sonne** sun
sich **sonnen** to sunbathe
die **Sonnenbrille(n)** sunglasses
sonst otherwise, or else
die **Sorgen** (pl.) worries
  mach dir keine* don't worry
es macht **Spaß** it's fun
spätestens at the latest
der **Spaziergang("e)** walk
das **Spiel(e)** game
das **Spielzeug(e)** toy
du **spinnst!** (from **spinnen**) you're joking!
der **Sportplatz("e)** sportsground
der **Sportverein(e)** sports club
das **Spülbecken(-)** sink
die **Stadt("e)** town
die **Stadtmitte(n)** town centre
die **Stadtrundfahrt(en)** tour of the town
statt/finden to take place
stecken to put
es **steht dir gut** (from **stehen**) it suits you
stell dir vor (from **sich vorstellen**) imagine
die **Stelle(n)** place, job
  an deiner * if I were you
sterben to die
der **Stift(e)** pen
das **stimmt** that's true, right
der **Stock("e)** floor, storey
stören to disturb
die **Straße(n)** street, road
die **Straßenbahn(en)** tram
der **Strand("e)** beach
die **Strecke(n)** stretch, distance
streng strict
der **Stuhl("e)** chair
die **Stunde(n)** lesson, hour
das **Stück(e)** piece, bit
suchen to look for
die **Suppe** soup

der **Swimming-pool(s)** swimming pool
die **Szene(n)** scene

T

das **T-shirt(s)** T-shirt
die **Tasche(n)** bag, pocket
die **Taschenlampe(n)** torch
teuer expensive
das **Theater(-)** theatre
der **Tisch(e)** table
die **Tochter(")** daughter
totmüde tired out
tragen to carry, wear
der **Trainingsanzug("e)** tracksuit
das **Treffen(-)** meeting
treffen to meet
die **Treppe(n)** staircase
trotz (+ gen.) in spite of
trotzdem anyway
tun to do
das **Turnen** gym(nastics)
die **Turnhalle** gym(nasium)
der **Typ(en)** guy

U

üben to practise
über over, above, about
übermorgen the day after tomorrow
übernachten to spend the night
überreden to persuade
übrig/bleiben to be left over
die **Übung(en)** exercise
um round, at
der **Umschlag("e)** envelope
und so weiter and so on
der **Unfall("e)** accident
ungesund unhealthy
unten downstairs, below
unternehmen to do something
unterschreiben to sign
unterwegs on the way
der **Urlaub(e)** holiday
  im * on holiday

V

verboten forbidden
verbringen to spend (time)
verdächtig suspicious
verdienen to earn, deserve
vergessen to forget
verheiratet married
die **Verkäuferin(nen)** shop assistant
verlassen to leave
verlieren to lose
die **Verschmutzung** pollution
verschütten to spill
verstehen to understand
sich **verstehen mit** to get on with
  wir * uns gut we get on well
versuchen to try

vervollständigen to complete
verwenden to use
von by, from
vor in front of
  * **zwei Wochen** two weeks ago
vor/haben to plan
vorbei/kommen to come round
vorgestern the day before
yesterday
vorher before
der **Vorname(n)** fist name
Vorsicht! be careful!

W

der **Wagen(-)** car
während while, during
wahrscheinlich probably
der **Wald("er)** wood
der **Walkman** personal stereo
das **Wandern** hiking
wäre *(from* **sein***)* would be
warten to wait
das **Wasser** water
der **Wasserhahn("e)** tap
der **Weg(e)** path, way
weg away
wegen because of
weg/fahren to go away
die **Weile** while
weit far
wem to whom
wenn when, if
werden to become, get
wichtig important
wirklich really
wissen to know
die **Woche(n)** week
der **Wohnblock("e)** block of flats
wollen to want
das **Wörterbuch("er)** dictionary
die **Wurst("e)** sausage

Z

zahlen to count
der **Zahnarzt("e)** dentist
zeichnen to draw
zeigen to show
das **Zelt(e)** tent
zu jeder **Zeit** at any time
das **Zeugnis(se)** report
das **Zimmer(-)** room
zuerst first
zufällig coinicidentally
zufrieden satisfied
der **Zug("e)** train
zuletzt last
zusammen together
der **Zuschauer(-)** spectator
zwar admittedly; specifically
der **Zweck** point
  es hat keinen * there's no point
zwischen between

Glossary of grammatical terms

adjective
A word which describes something or someone, e.g. *alt, groß, schön*.

adverb
A word that tells you the how, when or where about a verb, e.g. *komm schnell*. German makes no distinction between adverbs and adjectives, except that adverbs have no endings added: *langsam* can mean 'slow' or 'slowly'.

article
The words for 'the' or 'a/an'.

The definite article: *der, die, das,* etc.

The indefinite article: *ein, eine,* etc.

case
There are four cases in German: nominative, accusative, genitive and dative, which are used to show which grammatical role a particular word or phrase has in the sentence (e.g. subject, object, etc.). In practice, this means that there are four different sets of endings which words like articles and adjectives can have added to them.

conjunction
A word used to join two clauses that could otherwise be separate sentences, e.g. 'because' in the sentence: 'I can't come **because** I have too much work.' Many conjunctions in German have a dramatic effect on the word order!

gender
The fact of all nouns in German being either masculine or feminine or neuter.

imperative
The part of a verb you use to tell someone to do something, e.g. *Lauf schnell!* or *Lacht nicht!*

infinitive
The part of a verb which means 'to do', 'to go', etc. This is how verbs are normally listed in dictionaries. In German the infinitive is just one word, e.g. *kommen, dürfen, hinterlassen*.

noun
The name for a person, place or thing, e.g. *Mutter, Schule, Wagen*.

object
The person or thing at the receiving end of a verb, e.g. 'a castle' in the sentence: 'We visited **a castle**'. The object of a verb may be a pronoun or a name rather than a noun, e.g. 'him' in the sentence: 'My friends invited **him**'. The object is highlighted in these examples in German:

*Ich will **keinen Apfelsaft**. / Ich verstehe **dich** nicht.*

past participle
The part of the verb used to form the second part of the perfect tense, e.g. *geschrieben, gearbeitet, gekommen*. Used after part of *haben* or *sein* (e.g. *ich habe geschrieben*).

perfect tense
The form of the verb used to talk about things that have happened and things that are in the past, e.g. *Wir sind gegangen*.

plural
Means 'more than one'. In English we usually add an s to a noun to show it is plural: cat → cat**s**. In German nouns form their plurals in a number of different ways, e.g. *Haus → Häuser; Dame → Damen*.

possessive adjective
A word which tells you to whom something belongs: 'my', 'your', 'his', etc. In German: *mein, dein, sein,* etc.

preposition
Words like 'near', 'with', 'opposite', etc. In German these determine the case (and therefore the endings) of words that follow them.

pronoun
A small word that stands in place of a noun, e.g. *er* instead of *der Lehrer; ihnen* instead of *Renate und ihrem Bruder*.

singular
Means 'only one'. So *Ball* is singular because it means 'ball'. More than one and the word becomes plural: *Bälle*.

subject
The person or thing that is 'doing' the verb, e.g. 'rain' in the sentence: '**Rain** is spreading from the West.' Or 'we' in the sentence: 'Every Sunday **we** play football'.

tense
Verbs take different forms depending on whether we are talking about something in the past, the present or the future. Each of these forms is called a tense. Thus, in English, 'I have seen' and 'I saw' are different past tenses of the verb 'to see'.

verb
Usually described as 'doing words', verbs also include words such as 'was', 'have', 'knew', etc. In other words, anything that makes sense when you put a subject such as 'I', 'you' or 'he' in front of it.